CYNNWYS

Cydnabyddiaethau'r Cyhoeddwr

Dymunwn ddiolch i'r canlynol am ganiatâd i atgynhyrchu'r lluniau sydd yn y llyfr hwn:

Clawr: NHPA, Imperial War Museum a'r Commonwealth War Graves Commission.
Ken Reeves: t. 1 a 20(t); Commonwealth War Graves Commission: t. 3, 75, 103(ch a g), 104; Imperial War Museum: t. 5(E[AUS]711), 10(t:SP2 700, g:Q39258), 11(t:Q81831), 14(Q61479), 19(t, a g:Q28005), 32(c a g), 33 a 63t(Q1177), 36(Q2041), 40(Q70164, Q70165, Q70166, Q70169), 41(t:Q4196, g:C02241), 42(t:Q55066, c:Q3995), 44 a 76(Q65442), 45(Q4135), 46(g:Q60233), 47 a 100(Q4846), 48(Q3990), 52(Q5101), 55(Q868), 56(Q23760), 60(Q1156), 63(g:Q24047), 65(Q4316), 66(Q56558), 67(Q37361), 70(Q865), 93(Q3983), 98(Q3254), 102(Q800); Colin Hughes: t. 7, 49; Hulton Archive: t. 11(g,ch), 17, 92, 96; AKG London: t. 11(g,d), 12, 35; Llyfrgell Genedlaethol Cymru: t. 15(t,map), 25, 27, 29(g,d a ch), 32(t), 79; Gwasanaethau Etifeddiaeth Wrecsam, Cyngor Bwrdeistref Sirol Wrecsam: t. 18(g); Archifdy Sir y Fflint: t. 19(c: D/DM/338/1[16]), 21(g:PH28[P]/60), 22(t:PH56/334, c:PH56/326); Des Quinn: t. 20(g), 21(t); Y Teulu Tomlins: t. 23, 24; Barry Johnston: t. 26; The Art Archive/Imperial War Museum/Eileen Tweedy: t. 28, 29(t,ch), 94(t); The Art Archive/Eileen Tweedy: t. 29(t,d), 30, 31(ch); AKG Llundain/Jean-Pierre Verney: t. 31(d); Robert Hunt Library: t. 37, 43, 51, 54, 57, 83(g); The Art Archive/Imperial War Museum/Imperial War Museum: t. 38, 94(g), 95(t); Wellcome Library, Llundain: t. 46(t); Culver Pictures, Efrog Newydd: t. 77, 80(g); Sioned O'Connor/*Telyn y Nos*, Cynan, Hughes a'i Fab, 1921: t. 80(t); FIT74990 Portread o Siegfried Sassoon (1886-1967), 1917 (olew ar gynfas) gan Glyn Warren Philpot (1884-1937), Amgueddfa Fitzwilliam, Prifysgol Caergrawnt, DU/ Bridgeman Art Library: t. 83(t); IWM30174 (1656) Over the Top, 1st Artists' Rifles at Marcoing, 30ain Rhagfyr 1917 gan John Northcote Nash (1893-1977), Imperial War Museum, Llundain, DU/Bridgeman Art Library: t. 95(g); NHPA: t. 103(t).

Dymunwn gydnabod caniatâd i ddyfynnu o'r cyhoeddiadau a ganlyn:

Goodbye to All That, Robert Graves, Carcanet Press Limited, 1929: t. 5, 30, 44, 45, 61;
Ymddiriedolwyr Amgueddfa'r Ffiwsilwyr Brenhinol Cymreig: t. 21 (dyfyniad Emlyn Davies), 44 (dyfyniad Glyn Roberts), 54 (*Regimental Records of the RWF 1914-1918*, C.H.D. Ward, London, 1928. t. 206. Narrative account by Captain J. Glynn Jones, 14th RWF);
The Great War, Neil DeMarco, Hodder and Stoughton, 1997. Ailargraffwyd gyda chaniatâd (tud. 5, 63): t. 34,97;
The First World War: An Illustrated History, A.J.P. Taylor, © George Rainbird Ltd, 1963, atgynhyrchwyd gyda chaniatâd Penguin Books Ltd: t. 40;
All Quiet on the Western Front gan E.M. Remarque, cyhoeddwyd gan Bodley Head. Ailargraffwyd gyda chaniatâd Random House Group Ltd: t. 43, 44;
Hawlfraint Siegfried Sassoon gyda chaniatâd caredig George Sassoon: t. 46, 51, 83;
Up to Mametz gan Llewelyn Wyn Griffith, Gliddon Books, 1931. Hawlfraint Hugh Wyn Griffith: t. 52, 53, 55, 58(t), 59, 92;
Mae cydnabyddiaeth yn ddyledus i Reolwr Llyfrfa ei Mawrhydi am ddyfyniadau o bapurau dan warchodaeth yr Archifdy Gwladol: t. 63 a 65(g) (WO95/2552 113th Infantry Brigade War Diary [Atodiadau 20 a 26], Gorffennaf 1916), 64(t), 65(t) (CAB45/189 Committee of Imperial Defence, Historical Section – aralleiriad), 67;
Michael Renshaw, *Mametz Wood*, 1999, Pen and Sword Books Ltd.: t. 64(g);
Sioned O'Connor (cerddi Cynan): t. 80, 81, 82, 84;
Gwaedd y Bechgyn, gol. Alan Llwyd ac Elwyn Edwards, Cyhoeddiadau Barddas: t. 85.

Mae dyfyniadau o'r Saesneg wedi eu trosi i'r Gymraeg.

Ni fu'n bosibl olrhain perchennog pob hawlfraint yn y gyfrol hon. Gwahoddir y perchenogion hynny i gysylltu â'r cyhoeddwyr.

Diolch i'r athrawon fu'n gysylltiedig â'r project hwn am eu sylwadau a'u cefnogaeth.

Argraffwyr: Y Lolfa

Pam mae Coed Mametz yn bwysig?

Mae'r llyfr hwn yn adrodd stori ryfeddol yr hyn a ddigwyddodd ym Mrwydr Coed Mametz a'r ardal o'u cwmpas yn 1916. Sail y stori yw tystiolaeth pobl oedd yno ar y pryd a'r hyn mae haneswyr wedi ei ysgrifennu ar ôl hynny. Er mwyn gwerthfawrogi mor ofnadwy oedd yr hyn a ddigwyddodd yng Nghoed Mametz a'i arwyddocâd, darllenwch y ddau ddyfyniad hyn gan ddau filwr fu'n ymladd yn y coed ac yna trafodwch y cwestiynau sy'n dilyn.

Gwelais nifer o ddynion yn plygu dros ddyn oedd yn gorwedd ar waelod ffos. Roedd yn gwneud sŵn chwyrnu yn gymysg â griddfan anifail. Wrth fy nhraed roedd ei gap a'i ymennydd yn llanast ynddo. Gall dyn rannu jôc gyda dyn sy wedi ei anafu, gall dyn anwybyddu dyn marw, ond all neb gellwair uwchben dyn sy'n llusgo marw am dros dair awr o amser, wedi i fwled, a saethwyd o cyn lleied o bellter ag ugain llath, rwygo'i gopa i ffwrdd.

🎧 *o lyfr Robert Graves, 'Goodye to All That'.*

Ymhen ychydig roeddem yn ei chanol hi,
A'r Adran Gymreig o'r diwedd
Yn gallu dangos beth allai ei wneud, ar ei phrawf,
Yn wynebu'r her fwyaf anodd.

Roeddem dros y copa mewn chwinciad
Ac yn eu hwynebu fel y dylai pob milwr.
Dyna sut, Syr, y bu i'r Adran Gymreig
Ddechrau ennill brwydr y coed.

🎧 *o gerdd gan Tom Parton, milwr fu'n ymladd yng Nghoed Mametz , 1916.*

TRAFODWCH

- Yn ei lyfr, mae Robert Graves yn disgrifio sawl digwyddiad tebyg. Sut y byddai'r profiadau hyn wedi effeithio arno fe, yn eich barn chi?
- Ydych chi'n meddwl bod Tom Parton yn teimlo balchder am ei fod ef a'i gyd-filwyr wedi llwyddo i gipio Coed Mametz?

Y Rhyfel Mawr

Roedd Rhyfel Byd Cyntaf 1914-1918 yn un o ddigwyddiadau mwyaf arwyddocaol yr ugeinfed ganrif. Cafodd ei alw yn 'rhyfel byd' am fod cymaint o wledydd ledled y byd â rhan yn y rhyfela (gw. pennod 2). Yn ystod y rhyfel, yn ôl yr amcangyfrif, roedd dim llai nag 8 miliwn wedi eu lladd a 37 miliwn wedi eu hanafu. Galwyd y rhyfel hwn yn 'Rhyfel Mawr'. Roedd yn arwyddocaol, nid yn unig am fod nifer mor anferthol wedi eu lladd a'u clwyfo, ond hefyd am ei fod wedi achosi cymaint o newidiadau pellgyrhaeddol, er enghraifft, ym mywydau merched.

Mae'r llyfr hwn yn canolbwyntio ar y Ffrynt Gorllewinol – llinell o ffosydd oedd yn ymestyn drwy gannoedd o filltiroedd yn Ffrainc a Gwlad Belg. Am yn agos i bedair blynedd, bu milwyr o Ffrainc, Prydain a Gwlad Belg ar y naill ochr a'r Almaen ar yr ochr arall yn ymladd o'r ffosydd hyn. Ni bu fawr o symud ar y Ffrynt Gorllewinol gydol y rhyfel a'r dynion ar y ddwy ochr yn treulio misoedd yn y ffosydd, mewn sefyllfa annatrys, stond, ddi-symud ac yn goddef colledion difrifol. Mae'r llyfr hwn yn canolbwyntio'n arbennig ar frwydr a ymladdwyd yn 1916, sef Brwydr Coed Mametz.

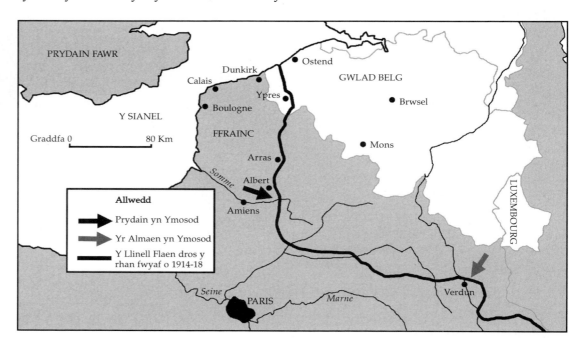

TRAFODWCH

Dylai'r ddau ddyfyniad uchod fod wedi'ch annog i FEDDWL ac wrth wneud hynny ddeffro eich chwilfrydedd.

- Trafodwch gymaint ag sy'n bosibl o gwestiynau ynghylch Brwydr Mametz.
- Defnyddiwch y cwestiynau hyn:
  - Pryd? ■ Pwy?
  - Ble? ■ Pam?
  - Beth?

Rhai ffeithiau Allweddol am Goed Mametz

Gobeithio y byddwch wedi trafod rhai o'r cwestiynau hyn:

• Pryd y digwyddodd y frwydr?

Digwyddodd Brwydr Coed Mametz rhwng y 7fed Gorffennaf a'r 12fed Gorffennaf, 1916. Ond roedd yn rhan o frwydr fwy o lawer – Brwydr y Somme, oedd wedi para o'r 1af Gorffennaf hyd ddiwedd Tachwedd, 1916.

• Pwy fu'n ymladd yng Nghoed Mametz?

Ymladdwyd y frwydr rhwng y Prydeinwyr a'r Almaenwyr. Ar ochr y Prydeinwyr ymladdai milwyr y 38ain Adran Gymreig, dynion oedd wedi gwirfoddoli i ymladd ers dechrau'r rhyfel yn 1914. Ar ochr yr Almaenwyr roedd Catrawd Lehr, milwyr gorau Prwsia, sef ardal arbennig yn yr Almaen.

Coed Mametz ymhen 60 mlynedd ar ôl y frwydr.

• Ble mae Coed Mametz?

Maen nhw yn ardal Picardy, yng ngogledd Ffrainc, yn ymyl yr afon Somme. Heddiw, mae cofeb yn sefyll o flaen y coed i goffáu milwyr y 38ain Adran Gymreig fu farw yno.

• Pam y bu brwydro yno?

Ar ôl i'r rhyfel yng Ngwlad Belg a Ffrainc sefyll yn stond ddi-symud dros ddwy flynedd, ar y 1af Gorffennaf, 1916 gorchmynnodd y cadfridogion Prydeinig a Ffrengig i'r milwyr ymosod ar filltiroedd lawer o linellau'r gelyn, yr Almaenwyr, mewn ardal o gwmpas yr afon Somme. Dyna pam y'i galwyd yn Frwydr y Somme. A dweud y gwir dylid bod wedi sôn am Frwydrau'r Somme gan fod y gwrthdaro wedi golygu cyfres o frwydrau pwysig gyda miloedd o filwyr yn mynd 'dros y copa'. Un o'r rhai pwysicaf a mwyaf gwaedlyd ymhlith y brwydrau hyn oedd Brwydr Coed Mametz.

• Beth oedd y canlyniad?

Roedd cadfridogion Prydain a Ffrainc yn credu y gallent drechu'r Almaenwyr yn gyflym ac y byddai Coed Mametz, er eu bod yn cael eu hamddiffyn yn gadarn, yn syrthio i'w dwylo o fewn ychydig oriau. Ond, fe gymerodd bum diwrnod i wthio'r Almaenwyr allan o'r coed. Llusgodd ymosodiad y Somme ymlaen am sawl mis wedyn gan achosi dioddef enbyd, lladd ac anafu ar y ddwy ochr.

Ar ddiwrnod cyntaf Brwydr y Somme lladdwyd tua 20,000 o filwyr Prydain yn unig a chlwyfo 37,000. Erbyn i'r brwydro ddod i ben yn Nhachwedd roedd 415,000 o Brydeinwyr a 475,000 o Almaenwyr naill ai wedi eu lladd neu eu hanafu. Ond ychydig iawn oedd wedi ei ennill: roedd y Prydeinwyr a'r Ffrancwyr wedi llwyddo i wthio'r Almaenwyr yn ôl ryw ychydig gilomedrau'n unig a'r gelyn wedi gallu ail-gloddio ffosydd i ffurfio llinellau amddiffyn newydd.

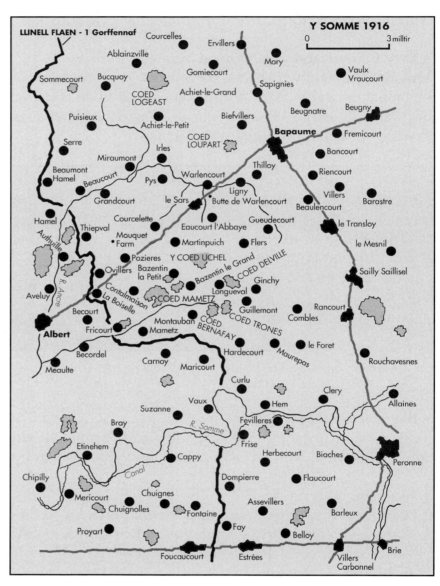

Trwy ganolbwyntio'n fanwl ar Frwydr Mametz, rydym yn gobeithio y bydd y llyfr hwn yn eich helpu:

- i werthfawrogi arwyddocâd Brwydr y Somme
- i ddysgu am fywydau milwyr cyffredin o Gymru oedd wedi ymladd yno, yn ogystal â rhai o'r dynion eraill oedd yn ymladd gyda nhw neu yn eu herbyn
- i ddeall rhai o'r rhesymau pam roedd y dynion hyn wedi mynd i ryfel a pham yr ymladdwyd y rhyfel
- i ddod i wybod am fywyd yn y ffosydd
- i ddysgu am yr hyn a ddigwyddodd yn Mametz trwy lygaid y rhai oedd wedi ymladd yno
- i werthfawrogi pam fod yna wahanol ddehongliadau o'r hyn a ddigwyddodd
- i ddarllen peth o'r llenyddiaeth a'r farddoniaeth a ysgrifennodd rhai o'r milwyr hyn
- i ddeall pam roedd y Rhyfel Byd Cyntaf yn arwyddocaol a pham mae'n bwysig ei gofio
- i sylweddoli pam mae stori Coed Mametz yn cael ei hadrodd yn ysgolion Cymru.

Pam y dechreuodd y Rhyfel Byd Cyntaf?

- Pam roedd tensiwn rhwng y Pwerau Mawr yn ystod y blynyddoedd cyn 1914?

- Beth oedd y rhesymau dros greu'r cynllun cynghreirio?

- Pa ddigwyddiad oedd wedi sbarduno rhyfel yn 1914?

Pam rhyfel?

Mae rhyfeloedd, fel cwerylon, ambell waith yn digwydd oherwydd fflach sydyn o wrthdaro, ond fel arfer maen nhw'n digwydd o ganlyniad i ddrwg-deimlad dros gyfnod hir rhwng gwahanol genhedloedd. Felly roedd hi gyda'r Rhyfel Byd Cyntaf. Gallwn olrhain ei achosion yn ôl dros nifer fawr o flynyddoedd, ond yn y diwedd un digwyddiad oedd y wreichionen.

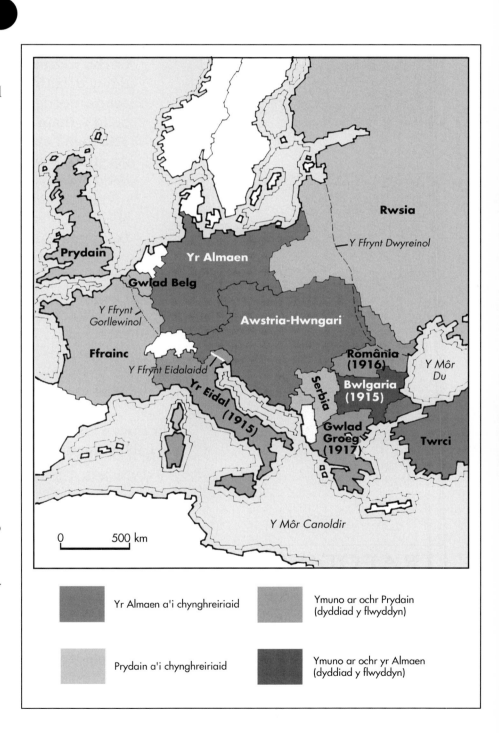

Rwsia

Y Ffrynt Dwyreinol

Prydain

Yr Almaen

Gwlad Belg

Y Ffrynt Gorllewinol

Awstria-Hwngari

Ffrainc

Y Ffrynt Eidalaidd

Yr Eidal (1915)

Serbia

România (1916)

Y Môr Du

Bwlgaria (1915)

Gwlad Groeg (1917)

Twrci

Y Môr Canoldir

0   500 km

Yr Almaen a'i chynghreiriaid	Ymuno ar ochr Prydain (dyddiad y flwyddyn)
Prydain a'i chynghreiriaid	Ymuno ar ochr yr Almaen (dyddiad y flwyddyn)

Yr hyn sy'n bwysig i'w ddeall ynghylch Ewrop yn 1914 yw fod y Pwerau Mawr yn tra-arglwyddiaethu, nid yn unig yn rheoli rhai o'r gwledydd Ewropeaidd llai ond hefyd yn rheoli ymerodraethau eang o amgylch y byd. Roedd y Pwerau Mawr hyn yn amheus iawn o'r naill y llall.

Llong ryfel Almaenig – y Moltke.

Llong Brydeinig – HMS Inflexible.

- Roedd yr Almaen yn cenfigennu wrth Brydain am fod gan Brydain ymerodraeth fawr a llynges i'w hamddiffyn. Dan reolaeth y Kaiser dechreuodd yr Almaen adeiladu ei hymerodraeth a'i llynges ei hunan.
- Roedd Ffrainc a'r Almaen wedi amau ei gilydd ers 1870, pan oedd yr Almaenwyr wedi trechu'r Ffrancwyr. Roedd Ffrainc eisiau'r ddwy dalaith, Alsace and Lorraine, yn ôl, achos roedden nhw'n credu mai eiddo Ffrainc oedd y rhain.
- Yna roedd amheuaeth a chystadleuaeth rhwng Awstria a Rwsia. Nid gwlad fach, fel heddiw, oedd Awstria ar y pryd ond ymerodraeth fawr – Ymerodraeth Awstria-Hwngari. Roedd yn rheoli'r gwledydd llai yn Ewrop a elwid y Balcanau, gan gynnwys Bosnia. Roedd Rwsia yn cefnogi rhai o'r gwledydd llai hyn oedd eisiau ennill eu rhyddid oddi wrth Awstria-Hwngari.
- Yn olaf, roedd drwg-deimlad rhwng yr Eidal, y gwannaf o'r Pwerau Mawr, a'i chymdoges Ffrainc dros ddyfodol Gogledd Affrica. Ffrainc oedd yn rheoli Tunisia. Roedd yr Eidal eisiau'r wlad yma iddi hi ei hun.

Er mwyn eu hamddiffyn eu hunain y naill oddi wrth y llall cytunodd y Pwerau Mawr ar ddau gynghrair:

Y CYNGHRAIR TRIPHLYG sef yr Almaen, Awstria-Hwngari a'r Eidal

Y CYTUNDEB TRIPHLYG (ENTENTE) sef Prydain Fawr, Ffrainc a Rwsia

Er bod y cynllun cynghreirio wedi ei fwriadu er mwyn sicrhau heddwch, fel roedd y tensiwn yn cynyddu dechreuwyd ras arfau rhwng y Pwerau Mawr a phob gwlad yn ceisio adeiladu ei byddin a'i llynges. Wrth gwrs, roedd hon yn sefyllfa beryglus dros ben oherwydd dim ond cweryl oedd ei angen i ddechrau rhyfel enfawr.

TRAFODWCH A MYNEGI BARN

- Pam mae rhyfeloedd yn dechrau? Rhestrwch gymaint ag y gallwch o resymau. Faint o'r rhesymau hyn oedd yn berthnasol yn 1914?

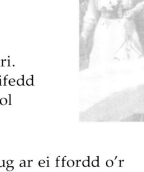

Y wreichionen!

Dechreuodd y rhyfel oherwydd digwyddiad yn Sarajevo, prifddinas Bosnia, oedd, fel y gwelsom, yn rhan o Ymerodraeth Awstria-Hwngari. Ar yr 28ain Mehefin, 1914 roedd yr Archddug Franz Ferdinand, yr etifedd i orsedd Awstria-Hwngari, yn ymweld â Sarajevo. Ymweliad brenhinol gweddol gyffredin oedd hwn i fod ond nid felly y digwyddodd hi.

Yr Archddug a'i wraig yn gadael neuadd y dref.

Pan oedd yr Archddug ar ei ffordd o'r orsaf i neuadd y dref ceisiwyd ei lofruddio pan daflwyd bom law at ei gar. Methodd gyrraedd ei tharged ond anafwyd swyddog oedd yn y car a'i dilynai.

Yn hwyrach y diwrnod hwnnw, mynnodd yr Archddug gael mynd i'r ysbyty i weld y swyddog oedd wedi ei anafu. Ond, ar y ffordd yno, cymerodd ei yrrwr y tro anghywir a bu'n rhaid iddo droi nôl.

Yn anffodus i'r Archddug (ac i'r byd yn gyfan, fel y digwyddodd) safodd y car ychydig lathenni'n unig oddi wrth un o'r myfyrwyr oedd wedi ceisio'i ladd yn gynharach. Anelodd y myfyriwr, Gavrilo Princip, ei wn a saethu'n union gan ladd yr Archddug a'i wraig.

🔊 *Llofruddio'r Archddug Franz Ferdinand.*

Y llofrudd, Princip, yn cael ei ddal, 28ain Mehefin, 1914.

Dyma'r digwyddiad fyddai yn y man yn arwain at ryfel byd. Roedd fel pecyn o gardiau yn syrthio:

■ Perthynai'r llofruddion i grŵp o bobl oedd eisiau i Bosnia fod yn annibynnol ar Awstria-Hwngari. Roedd eu cymydog, Serbia, yn eu cefnogi. Felly beiodd yr Awstriaid-Hwngariaid wlad Serbia am lofruddio'r Archddug, penderfynu fod yn rhaid cosbi Serbia a pharatoi i ymosod ar y wlad honno.

■ Galwodd y Serbiaid ar Rwsia i'w helpu. Bygythiodd Rwsia fynd i ryfel yn erbyn Awstria-Hwngari pe bai hi'n ymosod ar Serbia.

■ Trodd yr Awstriaid-Hwngariaid at yr Almaen am help. Dechreuodd yr Almaen fyddino gan ragweld rhyfel.

■ Roedd hyn yn codi braw ar Ffrainc a dechreuodd hithau fyddino.

■ Ceisiodd Prydain dawelu'r dyfroedd ond pan ymdeithiodd milwyr yr Almaen trwy Wlad Belg, oedd yn niwtral, ar eu ffordd i ymosod ar Ffrainc ar y 4ydd Awst, 1914, ymunodd Prydain yn y rhyfel (Roedd gan Brydain gytundeb â Gwlad Belg ers 1839). Ar y funud olaf penderfynodd yr Eidal beidio â rhyfela. Yn nes ymlaen ymunodd â Phrydain a Ffrainc yn erbyn ei hen gynghreiriaid.

■ Golygai'r cynllun cynghreirio – oedd i fod i sicrhau heddwch – fod rhyfel byd nawr rhwng Prydain, Ffrainc a Rwsia ar y naill ochr a'r Almaen ac Ymerodraeth Awstria-Hwngari ar yr ochr arall.

TRAFODWCH A MYNEGI BARN

• Oedd rhyfel yn anorfod? Neu, pe na bai'r Archddug wedi cael ei lofruddio yn Sarajevo, fyddai rhyfel wedi dechrau p'run bynnag rywbryd neu'i gilydd?

• A fyddai hi wedi bod yn bosibl gwneud rhywbeth i osgoi rhyfel yn 1914?

Milwyr yr Almaen ar y sgwâr ym Mrwsel, ar eu ffordd drwy Wlad Belg. ➡

Y Ffrynt Gorllewinol – Aros yn eu hunfan

Roedd yr Almaenwyr yn ffyddiog y byddai eu byddin a'u tactegau milwrol gwell yn trechu'r Ffrancwyr o fewn byr amser. Aeth yr Almaenwyr yn eu blaenau yn gyflym drwy Wlad Belg i Ffrainc. Ni allai'r fyddin Ffrengig eu gwrthsefyll ac felly anfonodd Prydain ei byddin ymgyrchol [*British Expeditionary Force*] i gefnogi'r Ffrancwyr. Ond ni allai hithau rwystro'r Almaenwyr ac ofnid y byddai Paris yn syrthio'n fuan.

Ond, cynlluniodd y Prydeinwyr a'r Ffrancwyr wrth-ymosodiad i'r gogledd o Baris, yn ardal yr afon Marne. Ar ôl brwydro ffyrnig am sawl diwrnod gwthiodd milwyr Ffrainc a'r fyddin ymgyrchol yr Almaenwyr yn ôl at yr afon Aisne. Yno, cloddiodd yr Almaenwyr linell hir o ffosydd i'w hamddiffyn eu hunain.

Y Ffrynt Gorllewinol, Gorffennaf 1916

13

A dyna batrwm y Rhyfel Byd Cyntaf wedi ei osod. Dros y pedair blynedd nesaf, byddai'r ymladd yn digwydd rhwng dwy linell o ffosydd oedd yn ymestyn dros gannoedd o filltiroedd ar hyd Ffrainc a Gwlad Belg. Sefyllfa debyg, y milwyr yn aros yn stond yn eu hunfan, welwyd hefyd ar y Ffrynt Dwyreiniol hyd 1917 pan adawodd Rwsia'r rhyfel am fod Chwyldro yn y wlad honno.

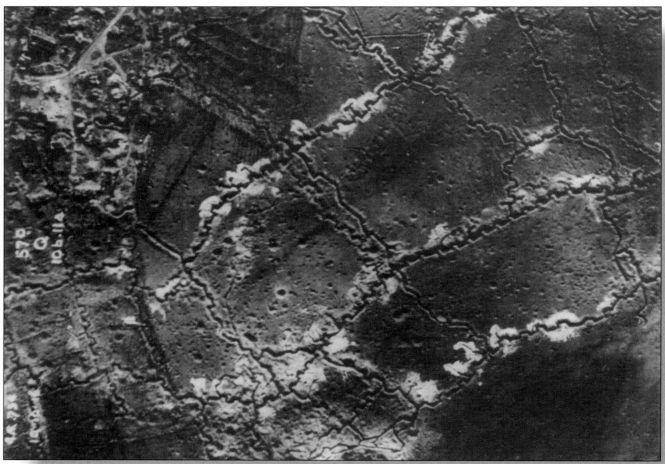

Llun a dynnwyd o'r awyr yn dangos y rhwydwaith ffosydd.

Gweithgaredd

Lluniwch ddeiagram fydd yn dangos y tensiynau ymysg y Pwerau Mawr yn 1914. Er enghraifft, ysgrifennwch enwau gwledydd y Cynghrair Triphlyg ar ochr chwith y dudalen a rhai'r Cytundeb Triphlyg *(Entente)* ar yr ochr dde. Cysylltwch y gwledydd oedd yn amau ei gilydd gyda saethau a nodwch beth oedd achos y tensiwn.

Sut fath o bobl o Gymru oedd yn ymwneud â'r Rhyfel Byd Cyntaf?

Y Prif Gwestiynau:

- Sut fath o bobl o Gymru oedd yn ymwneud â'r Rhyfel Byd Cyntaf?
- Pa wahanol fathau o gyfraniadau wnaeth y rhain yn yr ymdrech ryfel?
- Beth yw ystyr y term 'rhyfel diarbed'

Rhyfel Diarbed yng Nghymru

Ambell waith cyfeirir at y Rhyfel Byd Cyntaf fel 'rhyfel diarbed' sy'n golygu mai dyma'r rhyfel cyntaf oedd yn cwmpasu nid yn unig filwyr ond pawb yn y gymdeithas. Roedd pob math o bobl – yr ifanc a'r hen, dynion a merched – yn cyfrannu at yr ymdrech ryfel mewn sawl ffordd. Nid oedd hi'n bosibl 'arbed' unrhyw un yn y gymdeithas rhag gorfod bod yn rhan o'r hyn oedd yn digwydd.

Roedd y rhyfel yn ddigwyddiad mor anferth o fawr fel ei bod ambell dro'n syniad da i hoelio sylw ar rai o'r 'storïau bach' am ddynion a merched oedd â rhan yn y rhyfel. Wrth fanylu ar eu hanes nhw, byddwch yn deall y 'darlun mwy', y Rhyfel Byd Cyntaf, yn well.

Dyma rai o'r bobl rydym yn sôn amdanyn nhw yn y llyfr hwn.

Trawsfynydd

Glyn-nedd
Aberpennar
Abertawe
Caerdydd

15

Dyma fwy o wybodaeth am y bobl hyn.

STORI 1:

Jack Thomas: 2il Fataliwn, Y Gatrawd Gymreig

Yn gynnar yn y flwyddyn 1987, dangoswyd llun y gofeb i'r 38ain Adran Gymreig yng Nghoed Mametz, oedd newydd gael ei chodi, i Elizabeth Thomas (tuag 88 oed). Roedd ganddi ddiddordeb mawr yn y gofeb achos roedd hi'n gwybod bod ei brawd John (oedden nhw'n ei alw'n 'Jack') Thomas wedi bod yn ymladd yn agos i Mametz. Recordiodd un o'i pherthnasau yr hyn oedd ganddi hi i'w ddweud: 'Roedd Coed Mametz wedi eu serio ar ein cof. Chawson ni erioed wybod yn iawn beth ddigwyddodd yno, dim ond ei fod yn anhygoel o erchyll.'

⬆ *Jack gyda'i dad a'i frodyr.*

⬅ *Jack a'i gyfeillion (Jack ar y dde eithaf).*

Trwy ddibynnu ar yr hyn oedd gan Elizabeth Thomas i'w ddweud (sef hanes llafar) a gwaith ymchwil pellach, bu'n bosibl dod i wybod beth oedd Jack wedi ei wneud yn ystod y rhyfel:

Awst 1914:	gadael gwaith yng Nglyn-nedd a cherdded i Aberhonddu (dros 20 milltir) i ymuno â'r fyddin
Medi 1914:	derbyn hyfforddiant sylfaenol yng Ngogledd Cymru a Salisbury Plain
Ion.1915:	mynd i Ffrainc gyda'r 2il Fataliwn, Y Gatrawd Gymreig
Medi 1915:	ymladd ym Mrwydr Loos
Medi 1915-Gorff. 1916:	misoedd lawer yn ymladd yn y ffosydd
Gorff.1916:	ymdeithio o Loos i Albert, lle oedd y tu cefn i linell flaen Prydain yn ardal y Somme

Milwyr Ffrengig yn gwisgo mygydau nwy.

Mae'n ddigon posibl mai dyma'r tro cyntaf i Jack fod oddi cartref am gyfnod hir o gwbl. Mae'n fwy na thebyg nad oedd erioed wedi bod yn Lloegr cyn hyn, yn sicr nid oedd wedi bod yn Ffrainc. Erbyn y 1af Gorffennaf, 1916, diwrnod cyntaf Brwydr y Somme, roedd Jack Thomas (yn wahanol i Edward Clement y byddwn yn sôn amdano'n nes ymlaen) yn filwr profiadol. Wedi'r cyfan roedd wedi ymladd ym Mrwydr Loos, ymgyrch hynod galed a gwaedlyd lle defnyddiwyd nwy am y tro cyntaf (gw. y disgrifiad ym mhennod 3). Yn wir, fe gollodd Jack Thomas un o'i ffrindiau yn y frwydr. Mae ei fedd i'w weld mewn pentref bach yn ymyl Loos o'r enw Vermelles. Efallai yn wir ei fod yn un o'r milwyr sydd yn y llun sydd ar dudalen 16.

Cawn wybod beth ddigwyddodd i Jack yn nes ymlaen.

TRAFODWCH

- Cerddodd Jack Thomas dros 20 milltir i ymuno â'r fyddin. Beth mae hyn yn ei ddweud wrthym ni am Jack – sut roedd e'n teimlo ynghylch y rhyfel?

STORI 2:

Elizabeth Thomas

Mae stori chwaer Jack, Elizabeth Thomas, yn ddiddorol iawn hefyd ac yn ein hatgoffa fod merched wedi chwarae rhan bwysig iawn yn yr ymdrech ryfel yn ystod y Rhyfel Byd Cyntaf. Gadawodd Elizabeth yr ysgol pan oedd tua 14 oed i weithio ar fferm, ond yn ddiweddarach dechreuodd weithio mewn ffatri yng Nglyn-nedd oedd yn cynhyrchu powdwr ffrwydrol ar gyfer pyllau a chwareli. Roedd y gwaith yn galed iawn a pheryglus ac roedd llawer o ddamweiniau yn y ffatri, gan gynnwys ffrwydriadau.

Roedd y gwaith a wnâi Elizabeth yn hynod bwysig. Heb bowdwr ffrwydrol ni allai'r pyllau gynhyrchu glo ac roedd angen glo i gynhyrchu ager a thrydan. Roedd yn rhaid cael glo, felly, i gynhyrchu pŵer i ffatrïoedd, trenau a llongau, y cyfan yn gwbl angenrheidiol yn adeg rhyfel. Fel y gwelwn wrth edrych ar y lluniau, roedd merched yn gweithio'n galed mewn sawl maes yn ystod y rhyfel.

Gweithgaredd

- Rhestrwch y gwahanol swyddi roedd merched yn eu gwneud yn ystod y Rhyfel Byd Cyntaf.
- Pam roedd hyn yn bwysig i'r ymdrech ryfel?
- Sut roedd y rhyfel wedi newid bywydau merched?

STORI 3:

Edward Clement a'r 14eg Fataliwn (Abertawe), Y Gatrwad Gymreig

Un nodwedd a berthynai i'r Rhyfel Byd Cyntaf oedd y modd roedd trefi a rhanbarthau yn ffurfio bataliynau o filwyr. Ar y 3ydd Medi, 1914 anfonodd Maer Abertawe gais at y Swyddfa Ryfel yn gofyn a gâi ffurfio bataliwn o filwyr troed yn Abertawe fel rhan o'r 38ain Adran (Gymreig) oedd yn cael ei sefydlu gan y gwleidydd Rhyddfrydol David Lloyd George. Diolchwyd i'r Maer am ei 'gynnnig gwlatgar' ac ar y 15fed Medi, cafwyd cyfarfod o gyflogwyr lleol a dynion busnes i drafod yr awgrym. Er y byddai gweithredu'r cynllun yn golygu colli gweithwyr o'r dociau lleol, y ffatrïoedd a'r pyllau, fe roddodd cyflogwyr Abertawe arian ar gyfer ffurfio'r fataliwn.

Dechreuwyd hysbysebu ar raddfa eang yn Abertawe i annog dynion i ymuno. Erbyn Chwefror 1915, roedd 1,381 o ddynion a 36 swyddog wedi ymuno. Gelwid y bataliwn wrth yr enw 'bataliwn chwaraeon' am fod llawer o'r dynion yn aelodau o glybiau criced a phêl-droed Abertawe. Dyma lun o fataliwn Abertawe y tu allan i westy'r George yn y Mwmbwls.

Un o'r rhain oedd Edward Clement oedd yn byw yn Hafod, Abertawe ac yn gweithio fel clerc. Ymunodd ar yr 8fed Rhagfyr, 1915 yn 19 oed.

Edward yw'r dyn yn y siwt lwyd.

Aeth Edward Clement a'i gyfeillion i'r Rhyl yng Ngogledd Cymru i gael eu hyfforddi.

Edward Clement yn y Rhyl (ar y dde).

Mae Emlyn Davies, milwr gyda'r 17eg y Ffiwsilwyr Brenhinol Cymreig yn disgrifio'r math o hyfforddiant fyddai Edward Clement wedi ei gael.

Ymladd â'r bidog oedd fwyaf blinedig. Byddai sachau wedi eu llenwi â gwellt yn cael eu crogi o drawst oedd yn cael ei gynnal rhwng pyst tua chwe throedfedd o uchder. Y gorchymyn oedd fod yn rhaid i ni ruthro'n gyflym o bellter o ryw dri deg llath, gyda'r dryll a'r bidog yn barod i ymosod. Wedi cyrraedd y targed roedd yn rhaid anelu at stumog 'y gelyn' a'i drywanu'n galed. Byddai cilio'n sydyn yn sicrhau na allai'r gelyn daro nôl. Yna, ymlaen i drywanu'r nesaf ac yn y blaen.

Y Ffiwsilwyr Brenhinol Cymreig yn cael eu hyfforddi ym Mhenarlâg.

Bataliwn Cyfeillion Gogledd Cymru yn cael eu hyfforddi yn y Rhyl, 1914.

Y Ffiwsilwyr Brenhinol Cymreig ar y prom yn y Rhyl, tua 1915.

Ar ôl hyn anfonwyd Edward Clement a bataliwn Abertawe i Ffrainc yn Rhagfyr 1915. Disgrifiodd W.A. Tucker, milwr yn Adran Beicwyr y 38ain, sut roedd e'n teimlo. Mae'n ddigon tebyg mai dyna brofiadau Edward Clement a Jack Thomas hefyd:

Ar ôl ychydig fisoedd o hyfforddiant, nad oedd, oherwydd prinder ffrwydron ac arfau, wedi golygu dim mwy na rhyw chwe chynnig o ymarfer saethu, daeth yr awr i ni adael i fynd i Ffrainc a'r ffosydd. Ar ôl bod wedi ein cau i mewn yng nghrombil y llong tan y wawr, cawsom ganiatâd i fynd ar y dec. Gallem weld arfordir Ffrainc yn dod i'r golwg yn raddol. Nid oedd yn edrych yn atyniadol o gwbl ar doriad gwawr oer a niwlog y diwrnod hwnnw.

Ym Mehefin teithiodd Clement a'r 14eg Fataliwn o'r Gatrawd Gymreig (Abertawe) gyda nifer eraill o fataliynau o Gymru oedd yn ffurfio'r 38ain Adran Gymreig i'r Somme. Cawn wybod beth ddigwyddodd i Edward Clement, fel hanes Jack Thomas, yn nes ymlaen.

TRAFODWCH A MYNEGI BARN

- Tybed sut roedd Jack ac Edward yn teimlo wrth adael cartref am y tro cyntaf?
- Oedd gwirfoddolwyr fel Edward Clement wedi cael eu paratoi'n dda ar gyfer brwydr y Somme? (Edrychwch ar yr hyn oedd gan Emlyn Davies a W.A. Tucker i'w ddweud am yr hyfforddiant.)

STORI 4:

Teulu - Yr Oweniaid

Yr Oweniaid

Llun o deulu oedd yn byw yn Aberpennar yn 1915 yw hwn. Roedd y teulu'n dod yn wreiddiol o Drawsfynydd yng Ngogledd Cymru ond eu bod wedi symud i Dde Cymru yn 1910 i chwilio am waith yn y pyllau glo. Gwirfoddolodd tri mab i ryfela pan ddechreuodd y rhyfel yn 1914, dau o'r rhai sydd yn y llun. Dyma sut y bu i'r teulu gyfrannu at yr ymdrech ryfel:

 **Harry Owen** (ail res, ar y chwith) – ymunodd â'r Ffiwsilwyr Brenhinol Cymreig yn 1914 ac ymladd yn Ffrainc; roedd yn filwr da a chafodd ei ddyrchafu'n sarsiant (edrychwch ar y dair streipen ar ei lawes).

 **William Owen** (yr ail o'r dde) – dim ond 15 oedd ei oed ond dywedodd gelwydd pan ymunodd â'r 17eg Fataliwn, y Gatrawd Gymreig. Câi'r fataliwn hon ei galw'n *'Bantams'* am fod y dynion yn fyr o gorff. Defnyddid hi i warchod lleoedd pwysig yng Nghymru fel storfeydd, pyllau a phorthladdoedd.

 **William Washington Owen** (pellaf ar y dde). Nid yw'n gwisgo gwisg filwrol gan nad oedd wedi ymuno â'r fyddin. Gweinidog gyda'r Bedyddwyr oedd a theimlai y gallai wasanaethu'r wlad trwy annog dynion i ymuno o'r pulpud. Hefyd roedd ganddo ddyletswydd anodd arall – cydymdeimlo â theuluoedd pan ddeuai'r newyddion ofnadwy fod eu perthnasau wedi eu lladd.

Robert Owen (yr ail o'r chwith). Nid oedd yntau yn y fyddin ond roedd ganddo waith pwysig i'w wneud yn y pwll glo lleol, fel halier. Roedden nhw'n bwysig iawn am eu bod yn gofalu am y ceffylau oedd yn tynnu'r wagenni glo. Fel y nodwyd yn barod roedd yn rhaid cael beth wmbreth o lo i gynhyrchu pŵer ac felly doedd dim rhaid i lowyr ymuno â'r fyddin. Roedd eu gwaith yn hollbwysig.

Alice Owen (rhes flaen, chwith) – gweithiai mewn siop leol yn Aberpennar cyn y rhyfel, ond fel roedd mwy a mwy o ddynion yn ymuno â'r fyddin roedd prinder gweithwyr ar y tir. Felly, yn 1915, aeth Alice i weithio ar fferm leol. Roedd yn waith pwysig achos roedd yn rhaid i'r llywodraeth wneud yn siŵr fod yna ddigon o fwyd i'w fwyta. Roedd bwyd oedd yn cael ei fewnforio yn brin am fod llongau tanfor yr Almaen yn suddo llongau masnach.

Jane Owen (yr ail o'r chwith) mam y teulu. Roedd hi'n gofalu am y cartref ac yn gwneud nifer o swyddi i ennill arian am fod ei gŵr wedi ei ladd yn y pwll. Trwy wneud yn siŵr fod ei theulu yn cael digon o fwyd, bod ganddynt gartref cysurus ac ei bod yn rhoi iddynt bob gofal, roedd hithau'n gwneud cyfraniad pwysig.

Margaret Owen (yr ail o'r dde). Gweithiai yn y siop gyda'i chwaer. Roedd yn un o'r nifer o ferched lleol oedd yn casglu cyfraniadau at gynnal gweddwon y milwyr a laddwyd a phlant amddifad; roedd hefyd yn helpu i wneud parseli bwyd i'w hanfon i'r milwyr oedd yn ymladd yng Ngwlad Belg a Ffrainc.

Ceridwen Owen (y bellaf ar y dde). Priododd â Robert Owen yn 1915 a gweithiodd fel nyrs wirfoddol yn Aberdâr yn helpu milwyr i wella o'u clwyfau.

Gallwch weld felly fod y teulu Owen wedi helpu'r ymdrech ryfel mewn sawl ffordd. Fe fuon nhw'n hynod lwcus hefyd gan fod y tri mab wedi dod adref yn fyw o'r rhyfel.

TRAFODWCH A MYNEGI BARN
- Sut roedd y teulu Owen wedi cyfrannu at yr ymdrech ryfel?

STORI 5:

Ellis Humphrey Evans (Hedd Wyn)

Bugail ifanc o Wynedd, Gogledd Cymru, oedd Ellis Evans a ddaeth yn enwog fel bardd. Ar ddechrau'r rhyfel yn 1914 roedd yn gyndyn o ymuno â'r fyddin am ei fod yn anghytuno â'r rhyfel. Fodd bynnag, llusgai'r rhyfel yn ei flaen a mwy o ddynion yn cael eu lladd ac fe ymunodd Ellis Evans â 15fed Bataliwn y Ffiwsilwyr Brenhinol Cymreig yn Ionawr 1917. Ar waethaf yr amodau difrifol yn y ffosydd, daliai Evans i ysgrifennu barddoniaeth. Yn wir, fel y cawn weld, sbardunodd y lladd a'r difrodi nifer o feirdd i ysgrifennu barddoniaeth.

Anfonodd Evans awdl i gystadleuaeth y Gadair yn Eisteddfod 1917 gyda'r teitl 'Yr Arwr', dan y ffugenw Hedd Wyn. Yng Ngorffennaf 1917 fe'i trawyd gan siel ym mrwydr Paschendale yng Ngwlad Belg a bu farw mewn poen. Ym Medi 1917 safodd y gynulleidfa yn yr Eisteddfod yn dawel fud pan gyhoeddodd yr Archdderwydd mai enillydd y Gadair oedd Hedd Wyn. Roedd y Gadair, y dylai'r bardd fod yn eistedd ynddi, wedi ei gorchuddio â lliain du.

Erbyn 1917, roedd llawer o bobl yn gwrthwynebu'r rhyfel am fod nifer y dynion oedd wedi eu lladd neu eu clwyfo mor ddychrynllyd o uchel. Daeth barddoniaeth Hedd Wyn a beirdd eraill yn ysbrydoliaeth i'r rhai oedd yn dyheu am heddwch (gweler pennod 9).

TRAFODWCH A MYNEGI BARN

* Sut y byddai'r gynulleidfa yn yr Eisteddfod yn ymateb i'r newydd am farw Hedd Wyn?

STORI 6:

Milwr Dienw

Does neb yn gwybod enw'r milwr olaf y cyfeiriwyd ato ar y map. Y cyfan a wyddom yw ei fod yn dod o Bute-town yng Nghaerdydd. Fel y dywedodd yr hanesydd Keith Strange, mae'n bwysig cofio fod 'dynion o bob cymuned yng Nghymru wedi ymuno â'r fyddin', waeth beth oedd lliw eu croen na'u cefndir.

Gweithgaredd

- Eglurwch mewn ychydig frawddegau beth mae'r term 'Rhyfel Diarbed' yn ei olygu.
- Yn eich ateb dylech sôn am o leiaf dri o'r bobl a ddisgrifiwyd yn y bennod hon.

Pam roedden nhw wedi mynd?

Y PRIF GWESTIYNAU:

- Pam roedd cynifer o ddynion wedi teimlo fod angen iddyn nhw fynd i ryfel?

- Pa ddulliau oedd y llywodraeth wedi eu defnyddio i berswadio dynion i ymuno â'r fyddin?

- Pam roedd rhai pobl wedi gwrthod cefnogi'r rhyfel?

Recriwtio

Edrychwch ar y llun a dynnwyd yn 1914 ar ddechrau'r rhyfel.

TRAFODWCH
- Beth mae'r dynion hyn yn ei wneud?
- Ydyn nhw'n edrych yn hapus neu'n drist?
- Beth mae hyn yn ei ddweud wrthych am deimladau llawer o bobl ynghylch y rhyfel yn 1914?
- Dywedid bod llawer o ddynion yn 'wlatgar' yn 1914. Beth yw ystyr hyn?

Cyfrifoldeb yr Arglwydd Kitchener oedd recriwtio dynion i ymuno â'r fyddin. Defnyddiodd nifer o ffyrdd i berswadio dynion, gan gynnwys posteri recriwtio. Yr un yma, mae'n debyg, yw'r enwocaf. Rydym wedi newid ychydig arno er mwyn dangos i chi sut i ddefnyddio'r ffynonellau isod!

Perswadiwyd pobl fel Jack Thomas ac Edward Clement i ymuno â'r fyddin mewn nifer o ffyrdd. Darllenwch y dyfyniadau a ganlyn – dyma oedd yn cael ei ddweud a'i ysgrifennu yng Nghymru ar y pryd, yn ogystal â'r posteri y gallai Jack ac Edward fod wedi eu gweld.

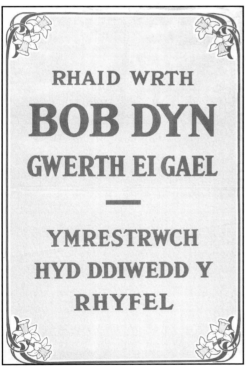

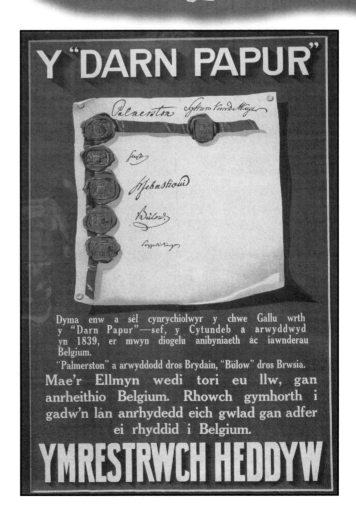

Perswadiodd Lloyd George y capeli fod y rhyfel yn Grwsâd Santaidd.

Robert Graves.

Mae'r Almaenwyr wedi eu dyrchafu eu hunain uwchlaw rheolau, uwchlaw'r gyfraith, uwchlaw gwareiddiad. Rwy am weld byddin Gymreig yn y maes.

Y Parch. D. Jones, Ficer Abersoch.

IT'S 4 TO I
COME & HELP US, LADS, QUICK.

THE VETERAN'S FAREWELL.

"Good Bye, my lad,
I only wish I were young enough
to go with you!"

ENLIST NOW!

Mae Gwlad Belg wedi ei thrin yn greulon. Mae ei meysydd ŷd wedi eu sathru; ei phentrefi wedi eu dinistrio; ei dynion wedi eu lladd a'i merched a'i phlant hefyd. Beth oedd hi wedi ei wneud? Mae'r Almaenwyr yn meddwl na allwn ni mo'u trechu. Fydd hi ddim yn hawdd. Bydd yn rhyfel ofnadwy. Ond yn y diwedd byddwn yn ymdeithio drwy arswyd i orfoledd.

Lloyd George, a ddaeth yn Brif Weinidog yn 1916.

Roedd llywodraethau Ffrainc a'r
Almaen hefyd yn defnyddio posteri i
ledaenu propaganda:

31

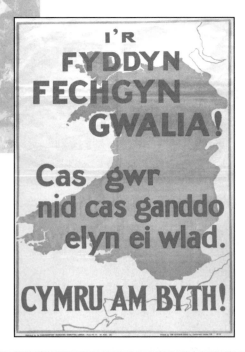

Dyma enghreifftiau eraill o bosteri Cymraeg.

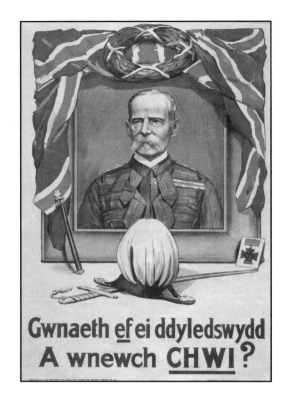

⬅ Sylwch mor debyg yw'r posteri
⬇ Prydeinig ac Almaenig hyn.

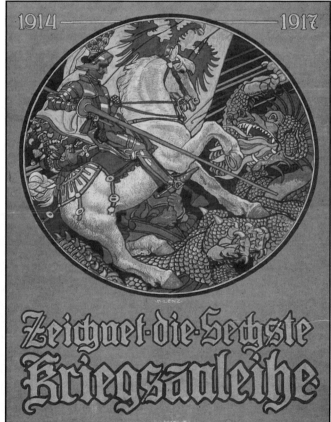

TRAFODWCH:

* Gan seilio'r drafodaeth ar yr hyn rydych chi wedi ei ddarllen uchod ac ar y lluniau, awgrymwch gymaint o resymau ag y gallwch pam roedd dynion fel Jack ac Edward eisiau mynd i ryfel yn 1914.

Propaganda a pherswâd

Felly, pam roedden nhw wedi mynd? Roedd llawer o ddynion wedi gwirfoddoli ym mlynyddoedd cynnar y rhyfel. Fel y gwelsom, roedd Jack Thomas wedi ymuno yn syth bron, Edward Clement yn fuan wedyn a William Owen hyd yn oed wedi dweud celwydd ynghylch ei oed er mwyn cael ymuno. Rhaid cofio mai ychydig iawn o bobl oedd yn sylweddoli yn 1914 mor ofnadwy roedd y rhyfel yn mynd i fod ac roedd llawer yn credu y byddai'r cyfan drosodd erbyn y Nadolig 1914! Roedd eraill wedi mynd am fod eu ffrindiau'n mynd neu oherwydd y cyffro a'r antur. Roedd y fyddin yn cynnig gwell cyflogau – gweithiai rhai dynion dan amodau gwael ac am oriau hir a chaled a chyflog bychan. Dywedwyd wrth ddynion am fynd – y dylen nhw fod yn helpu gwledydd llai oedd yn gynghreiriaid â Phrydain neu bod y gelyn yn ddieflig, neu mai dyletswydd pob Cristion oedd ymladd.

Lloyd George

Rydyn ni'n galw'r dulliau hyn o berswadio a ddefnyddid gan y llywodraeth ac eraill yn bropaganda. Propaganda yw'r ffordd mae arweinwyr yn perswadio pobl i wneud pethau. Fel y gwelwn, câi dynion fel Jack, Edward ac Owen eu perswadio gan bobl grefyddol, gan ysgrifenwyr ac aelodau o'r llywodraeth. Hefyd, roedd y ffaith fod Lloyd George, oedd i ddod yn Brif Weinidog yn 1916, yn bersonol â rhan yn y recriwtio, wedi dylanwadu'n fawr ar bobl Cymru.

I'ch helpu i gofio'r rhesymau pam roedd dynion wedi penderfynu ymladd yn ystod y Rhyfel Byd Cyntaf cofiwch y gair CYD-DDYN:

Cywilydd – roedd y rhai oedd yn aros gartref yn cael eu galw'n llwfr

Ymdeimlad o antur a gobaith am fod yn arwyr

Dyletswydd, gwladgarwch a gobaith am ennill bri, gan gynnwys ail-fyw'r gorffennol gwych

Y **Dd**ihangfa rhag diflastod bywyd-bob-dydd

Ysgelerder gweithredoedd yr Almaen

Nerthu cynghreiriaid Prydain fel Gwlad Belg fechan.

Gwrthwynebwyr Cydwybodol

Er bod cymaint o berswadio a phwyso ar ddynion i ymuno, roedd gan rai resymau gwleidyddol, crefyddol neu foesol dros wrthod. Roedd rhai yn credu nad oedd hi'n iawn i fynd i ryfel a lladd eraill. Roedd eu gwerthoedd a'u credoau neu eu cydwybod yn golygu eu bod yn gwrthwynebu'r rhyfel. Fe'u galwyd yn wrthwynebwyr cydwybodol. Gwelsom yn gynharach fod Hedd Wyn yn amharod i ymuno. Un rheswm oedd ei fod yn credu bod y rhyfel yn cael ei ymladd dros yr Ymerodraeth Brydeinig ac nid oedd yn cytuno â hynny. Hefyd roedd ei gred grefyddol yn golygu na allai gytuno â'r syniad o ladd. Mewn rhai cymoedd yn Ne Cymru roedd yna draddodiad cryf o blaid heddwch. Roedd sosialwyr fel Arthur Horner yn credu y dylai gweithwyr y byd uno â'i gilydd ac na ddylent ufuddhau i orchmynion cadfridogion, oedd gan mwyaf yn perthyn i'r dosbarth uwch mewn cymdeithas. Y wir frwydr, medden nhw, oedd rhwng y cyfoethog a'r tlawd.

Yn wir, roedd yr ystyriaeth ddosbarth o fewn cymdeithas yn chwarae rhan bwysig yn yr ymgyrch recriwtio. Fel mae Neil DeMarco wedi awgrymu, a hynny'n gywir:

> Mae'n bosibl fod y gwirfoddolwyr mwyaf brwd naill ai'n gyfoethog iawn neu'n dlawd. Roedd y dosbarthiadau uwch breintiedig yn Lloegr mor wlatgar ag unrhyw garfan ond hefyd roedd ganddyn nhw weithwyr cyflogedig i ofalu am eu stadau a'u gofalon tra roedden nhw oddi cartref. Nid oedd gan y gwir dlawd unrhyw fusnes i boeni amdano ac yn aml roedd yn ddi-waith p'un bynnag.

Fel y digwyddodd parhaodd y rhyfel, oedd i fod 'drosodd erbyn Y Nadolig', yn llawer hwy nag roedd unrhyw un wedi ei ddychmygu ac roedd yn fwy gwaedlyd. Yn wir, roedd y sefyllfa mor ddifrifol fel bod y llywodraeth wedi deddfu gorfodaeth yn Ionawr 1916. Roedd pob dyn abl, oedd rhwng 18 a 41 oed, dan orfodaeth i ymuno â'r fyddin onibai ei fod mewn gwaith neilltuedig e.e. glôwr.

Roedd y gwrthwynebwyr cydwybodol oedd yn gwrthod ymuno â'r fyddin yn cael eu trin yn galed iawn yn aml gan yr awdurdodau. Roedden nhw'n gorfod profi i banel o ddynion fod eu rhesymau dros beidio ag ymladd yn rhai dilys, wedi eu seilio ar yr hyn roedden nhw wedi ei gredu ers amser. Os nad oedden nhw'n gallu gwneud hyn roedden nhw'n cael eu carcharu ac roedd yn bosibl iddynt gael eu saethu hyd yn oed fel bradwyr neu wrth-gilwyr. Roedd eraill yn cael eu hanfon i'r rhyfel i wneud gwaith nad oedd yn golygu ymladd, fel cludo clwyfedigion.

◀

Aelodau o'r Corfflu Meddygol yn gofalu am glwyfedigion.

Ar y pryd, roedd rhai'n meddwl mai dynion llwfr oedd y gwrthwynebwyr cydwybodol (roedd rhai'n rhoi pluen wen ar ysgwydd dyn oedd heb ymuno â'r fyddin). Ar y llaw arall pe bai mwy o ddynion yn 1914 wedi gwybod am yr erchyllter oedd o'u blaenau, mae'n ddigon posibl na fydden nhw wedi bod mor barod i wirfoddoli. Mae'n bosibl na fyddai'r propaganda wedi bod yn effeithiol chwaith. Ymladdodd Frederick Manning yn y rhyfel ac yn 1929 cyhoeddodd nofel gyda'r teitl *The Middle Parts of Fortune*. Mae un o'r milwyr yn y llyfr yn egluro pam roedd wedi ymuno â'r fyddin:

Fe'u gwelais i gyd yn ymuno. Roeddwn i'n arfer mynd am dro gyda 'nghariad ar ddydd Sul nes i mi fynd yn ddiflas a theimlo cywilydd. Fel ffwl dwl es ac ymuno. Ond nawr, rwy'n dweud wrthych chi pe bawn i'n gallu diosg y wisg yma a gwisgo dillad sifil unwaith eto, fyddwn i ddim yn malio am yr holl gywilydd yn y byd. Gadewch i'r rhai sy wedi achosi'r rhyfel ddod i ymladd ynddo fe, dyna dd'weda' i.

TRAFODWCH:

- Oedd gwrthwynebwyr cydwybodol yn iawn wrth wneud yr hyn wnaethon nhw?

Agweddau at y rhyfel yn newid

Fel roedd y rhyfel yn llusgo yn ei flaen, dechreuodd llawer o'r milwyr newid eu hagwedd. Roedd llawer yn teimlo'n chwerw am fod tactegau'r cadfridogion yn wael, yn ogystal ag oherwydd bod yr amodau roedden nhw'n gorfod eu goddef yn ddifrifol. Ar ôl Brwydr y Somme yn 1916, roedd yr agwedd yma yn fwy pendant. Roedd hyd yn oed y gwladgarwch oedd mor amlwg yn 1914 yn diflannu. Disgrifiodd un milwr sut roedd e'n teimlo:

> Tua diwedd y rhyfel, roedden ni mor ddiflas doedden ni ddim yn fodlon canu 'Duw gadwo'r Brenin' ar barêd yr eglwys hyd yn oed. Na hidiwch am y blydi Brenin, arferem ddweud, roedd e'n ddigon saff, Duw gadwo ni ddylen ni fod yn ei ofyn'.

J.A. Hooper, 7fed Catrawd y Green Howards (milwr cyffredin).

Roedd 'y dwymyn ryfel' oedd mor bwerus yn 1914 wedi darfod ac yn ei lle roedd penderfyniad mwy realistig i ymdrechu i goncro'r gelyn mor fuan ag oedd modd.

Gweithgaredd

- Lluniwch eich poster recriwtio eich hun. RHAID i chi gynnwys o leiaf ddwy o'r ystyriaethau sydd yn y rhestr CYD-DDYN sydd ar dudalen 33.

Sut le oedd yn y ffosydd go iawn?

Y Prif Gwestiynau:

• Beth ydyn ni'n ei wybod am yr ymladd yn y ffosydd?

• Beth oedd rôl propaganda yn y darlun a gafwyd o fywyd y ffosydd – y myth?

• Sut le oedd yn y ffosydd go iawn?

Y Myth am y Ffosydd

Fel y gwelsom yn y bennod ddiwethaf, defnyddiwyd nifer o ddulliau i geisio darbwyllo dynion a merched fod y rhyfel yn mynd i fod yn brofiad llawn antur a chyffro a bri. Erbyn hyn mae'n siŵr eich bod wedi deall fod yna wahaniaeth mawr rhwng yr hyn roedd pobl wedi ei ddisgwyl a'r hyn oedd yn digwydd go iawn yn y Rhyfel Byd Cyntaf. Dywedodd Elizabeth Thomas yn ei chyfweliad: 'Pan ddaeth Jack adre am seibiant dywedodd ei fod wedi bod yn syndod mawr iddo weld yr hyn roedd ymladd ar y Ffrynt yn ei olygu go iawn. Doedden nhw ddim wedi ei rybuddio am hyn pan oedd yn cael ei hyfforddi.

Milwyr Almaenig yn tanio gwn peiriant, 1918.

Edrychwch ar y llun isod ac yna ystyriwch y cwestiynau a ganlyn:
- Sut olwg sydd ar wynebau'r dynion?
- Ydyn nhw'n edrych yn hapus neu'n drist?
- Ydyn nhw'n edrych fel pe baen nhw mewn perygl?

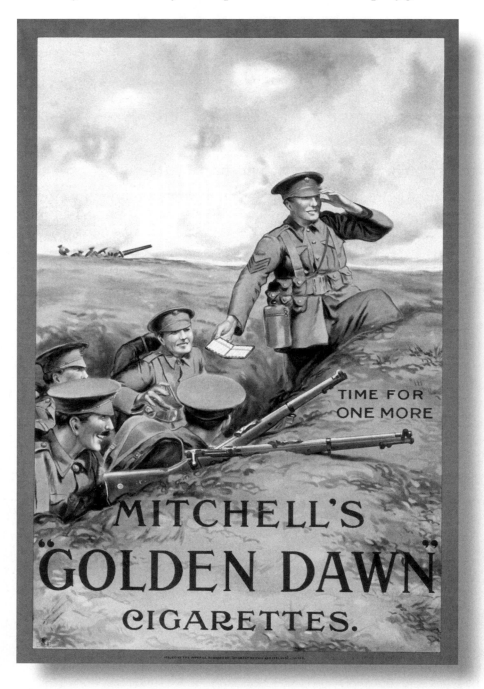

Nawr, edrychwch yn fwy manwl fyth ar y llun. Ystyriwch:

- Pam roedd y llun hwn wedi cael ei dynnu? (mae'r teitl ar y gwaelod yn cynnig cliw da i chi)
- Beth fyddai effaith llun tebyg i hwn ar ddynion fel Jack Thomas neu Edward Clement, yn eich barn chi?
- O'r hyn rydych chi'n ei wybod eisoes, ydych chi'n meddwl fod y llun yn dangos yn gywir debyg i beth oedd y rhyfel?

Rhyfel y Ffosydd go iawn

Wrth gwrs, roedd rhyfel y ffosydd yn wahanol iawn i'r ddelwedd sydd yn yr hysbyseb *Golden Dawn*. Mae'n anodd darlunio mor wael oedd yr amodau i'r milwyr oedd yn y ffosydd. Dywedodd rhai o'r dynion ddaeth yn ôl o'r Rhyfel Byd Cyntaf mai uffern ar y ddaear oedd; bu eraill yn cael hunllefau weddill eu hoes. Hawdd deall fod y profiad wedi effeithio'n feddyliol ar rai dynion am byth.

Golygai prif dactegau'r cadfridogion fod y milwyr yn mynd 'dros y copa' o'r ffos y naill don ar ôl y llall, ac yn ymdeithio tuag at linellau'r gelyn. Ysgrifennodd yr hanesydd A.J.P. Taylor:

> Roedd y cadfridogion yn dibynnu ar drwch y dynion, y pwysau. Hyfforddid glas filwyr i gredu mai'r bidog oedd yr arf hollbwysig. Fel y digwyddai, bob tro, roedd yr amddiffynwyr yn symud dynion i mewn yn gyflymach ar y rheilffyrdd nag y gellid ymosod ar droed.

'dros y copa'

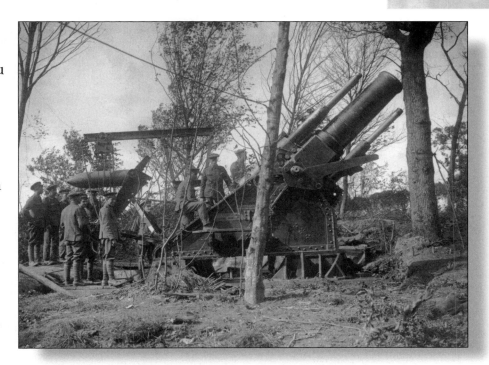

Dibynnai strategaeth ymosodol y cadfridogion ar nifer o dactegau:

1. y byddai gynnau mawr, y magnelau, wedi eu gosod rhyw filltir y tu ôl i'r llinell flaen i chwalu ffosydd y gelyn â'u sieliau mawr. Y bwriad oedd dinistrio ffosydd y gelyn a thorri tyllau yn y wifren bigog oedd o flaen y ffosydd;

2. y byddai milwyr oedd i ymosod, ar ôl i'r gynnau mawr wneud eu gwaith, yn dringo allan o'u ffosydd nhw eu hunain ac yn ymdeithio tuag at ffosydd y gelyn. Roedden nhw i gario reifflau â bidogau arnyn nhw; ac yn aml y gorchymyn oedd i gerdded nid rhedeg;

3. y byddai ffosydd y gelyn wedi eu dinistrio gan y gynnau mawr i'r fath raddau fel y gallai'r milwyr geisio cymryd meddiant o ffosydd y gelyn a gwthio'r gelyn yn ôl.

Erbyn 1915, roedd dau dacteg arall wedi eu hychwanegu at y rhain:

4. y byddai nwy gwenwynig yn cael ei ollwng i gyfeiriad y gelyn;

5. y byddai tanciau ac awyrennau hefyd yn yr ymosodiad, er bod tanciau yn ddiwerth yn y mwd dwfn.

Effaith y bwledi o ynnau peiriant, y sieliau a'r bomio oedd lladd ac anafu dychrynllyd. Yr amcangyfrif yw – o bob 5 o filwyr oedd yn ymladd yn y rhyfel , lladdwyd 1, ac o'r 4 oedd yn weddill anafwyd 2 yn ddifrifol. Un o'r prif resymau dros y niferoedd uchel o golledion oedd, er bod y sieliau yn gwneud llawer o ddifrod i ffosydd y gelyn, doedden nhw ddim yn eu dinistrio'n llwyr, yn enwedig pan oedden nhw wedi eu cloddio'n dda.

Llun a dynnwyd o'r awyr yn dangos y nwy gwenwynig

Pan fyddai'r gynnau mawr wedi peidio byddai'r gelyn a'u gynnau peiriant yn barod i wynebu'r milwyr oedd yn ymosod.

Dadleuodd llawer o bobl yn ystod y rhyfel ac wedyn mai rhyfel di-fudd / ofer oedd hwn. Oherwydd natur tactegau rhyfel y ffosydd, ni allai'r naill ochr na'r llall fod wedi ennill heb golledion anferth. Sail prif strategaeth rhyfela yn y ffosydd oedd cred y cadfridogion mai'r bidog fyddai'r arf pwysicaf. Ond mae casgliadau haneswyr yn dangos mor ffôl oedd y syniad hwn:

Achosion Anafiadau Milwyr Prydain

Sieliau/Morter ffos — 58%
Reiffl/Gwn peiriant — 39%
Bomiau/Bomiau llaw — 2.9%
Bidog — 0.32%

Milwyr y gynnau peiriant yn gwisgo mygydau nwy.

Fe welsom ym mhennod 3 nad oedd yr hyfforddiant roedd gwirfoddolwyr fel Edward Clement yn ei gael yn ddigon da i baratoi dynion i wynebu realiti brwydr, roedd y ffaith fod cymaint o'r hyfforddi yn canolbwyntio ar y bidog yn gwaethygu pethau.

Gweithgaredd

- Tynnwch lun a labelu'r prif dactegau oedd yn cael eu defnyddio i ymladd yn y ffosydd. Ceisiwch gynnwys y rhai sy wedi eu disgrifio yn 1-5 uchod.

Byw gyda marwolaeth a pherygl

Mae'n bwysig iawn cofio bod pethau cynddrwg i'r ddwy ochr, y Prydeinwyr a'r Almaenwyr. Ar ôl y rhyfel, ysgrifennodd milwyr y ddwy ochr am eu profiadau ac mae hynny'n rhoi tystiolaeth ardderchog i ni am fywyd y ffosydd. Milwr Almaenig ifanc oedd E.M. Remarque ac mae ei lyfr *All Quiet on the Western Front* yn disgrifio mor ddi-fudd oedd brwydrau'r ffosydd:

> Mae'r bomio drosodd. Mae'r ymosod yn dechrau. Rydyn ni'n defnyddio gynnau peiriant, reifflau a bomiau llaw. All y gelyn wneud fawr ddim nes byddan nhw o fewn pedwar deg llath i ni. Mae llinell gyfan ohonyn nhw wedi syrthio – ein gynnau peiriant wedi eu saethu. Rydyn ni'n cilio gan adael bomiau ar ein hôl. Mae ein gynnau'n trechu'r ymosodiad. Rydyn ni'n dod yn ôl i'n ffosydd sydd wedi eu chwalu, wedi diffygio'n lân, heb unrhyw ewyllys. Rydyn ni'n lladd achos os na fyddwn ni'n eu dinistrio nhw, fe fyddan nhw'n ein dinistrio ni.

🔊 *Gwrthsefyll ymosodiad.*

43

Yn *Goodbye to All That*, ysgrifennodd Robert Graves, Prydeiniwr, am un o'r ymosodiadau:

Dim ond y swyddogion oedd yn gwybod am yr ymosodiad, chafodd y dynion ddim gwybod tan y munud olaf. Am 4 o'r gloch y p'nawn gollyngwyd y nwy. Roedd yr Almaenwyr yn cadw'n dawel. Penderfynodd y brigadydd beidio dibynnu gormod ar siawns. Ar ôl y bomio anfonodd swyddog a 25 o ddynion ar gyrch i weld beth ddigwyddai. Pan gyrhaeddodd y milwyr at wifren yr Almaenwyr daeth hyrddiad o saethu o wn peiriant a reiffl. Dim ond dau filwr ddaeth yn ôl i'n ffos ni. Dywedodd yr Uwch-sarsiant: 'Llofruddiaeth ydy hyn, Syr'.

'Wrth gwrs mai llofruddiaeth ydy e, y blydi ffwl', cytunais, 'ond does dim byd arall allwn ni ei wneud, yn nag oes?'

Roedd llawer o'r milwyr yn cael eu clwyfo neu eu lladd yn y darn o dir oedd rhwng y ddwy linell o ffosydd, oedd yn cael ei alw'n 'dir neb'. Am ei bod hi mor beryglus i fynd allan o'r ffosydd i nôl y clwyfedigion, roedd llawer yn marw'n araf o'u clwyfau. Mae Remarque yn disgrifio golygfa ddychrynllyd:

Rydyn ni'n gallu dod â'r clwyfedigion sydd o fewn cyrraeddd yn ôl. Ond mae llawer yn gorfod aros yn hir ac rydyn ni'n gwrando arnyn nhw'n marw. Rydyn ni'n chwilio'n ofer am un am ddau ddiwrnod. Rydyn ni'n cropian allan yn y nos ond yn methu dod o hyd iddo. Y diwrnod cyntaf mae'n galw am help, y diwrnod wedyn mae'n ffwndro ac yn galw am ei deulu. Yn y bore rydyn ni'n cymryd ei fod wedi mynd i'w orffwys… mae'r meirwon yn gorwedd heb eu claddu. Allwn ni ddim dod â nhw i gyd i mewn. Pe baem yn gwneud hynny, fydden ni ddim yn gwybod beth i'w wneud â nhw'.

Yn aml roedd y cyrff yn cael eu gadael i bentyrru a phydru gan ei bod hi'n rhy beryglus i ddod â nhw'n ôl i'r ffosydd i'w claddu. Fel y cawn weld dyna pam fod cyrff cymaint o filwyr y Rhyfel Byd Cyntaf heb eu darganfod. Yn aml byddai cyrff yn dod yn rhan o'r ffos ei hunan. Dyma sut y disgrifiodd un milwr Cymreig y sefyllfa:

Yn un rhan o'r ffos fe welsom filwyr Cymreig wedi eu pentyrru y naill ar ben y llall. Heb bennau, heb freichiau, roedden nhw'n gorwedd yno â golwg welw lwydaidd arnyn nhw.

Glyn Roberts, Y Ffiwsilwyr Brenhinol Cymreig.

Gwelsom yn y bennod gyntaf fod Jack Thomas wedi ymladd ym Mrwydr Loos, 1915, lle cafodd un o'i gyfeillion ei ladd. Ymladdodd Robert Graves yno hefyd ac mae'n disgrifio'r olygfa waedlyd a welodd:

Bob nos roedden ni'n mynd i nôl meirwon bataliynau eraill – ar ôl y diwrnod cyntaf neu ail roedd y cyrff yn chwyddo ac yn drewi. Roeddwn yn cyfogi fwy nag unwaith wrth gadw golwg ar y cario. Roedd y rhai nad oedden ni ddim yn gallu eu cludo nôl o'r wifren Almaenig yn dal i chwyddo nes byddai wal y stumog yn rhwygo, naill ai'n naturiol neu pan fyddai bwled yn ei daro, a'r arogl ffiaidd yn ein cyrraedd. Byddai lliw'r wynebau marw'n newid o wyn i felynlwyd, i goch, i biws, i ddu, i lysnafeddog.

TRAFODWCH:

* Pa effaith oedd gweld cyrff heb eu claddu yn ei gael ar (1) ysbryd / hwyliau'r dynion a (2) iechyd a hylendid?

Amodau byw

Eto dim ond amser byr, ar gyfartaledd, roedd y dynion yn ei dreulio yn ymladd yn erbyn y gelyn. Roedden nhw'n treulio'r rhan fwyaf o'u hamser yn y ffosydd, yn aros i ymosod. Ond, roedden nhw mewn perygl trwy'r amser – gallent gael eu lladd gan sieliau'r gelyn neu fwledi cêl-saethwyr.

Byddai milwyr yn gwneud nifer o bethau i'w cadw'u hunain yn brysur. Yn y dyfyniad o *Memoirs of an Infantry Officer*, Siegfried Sassoon, oedd hefyd yn Mametz, cawn ddisgrifiad ohono fe a milwr arall yn cêl-saethu at y gelyn gyda chanlyniadau trychinebus:

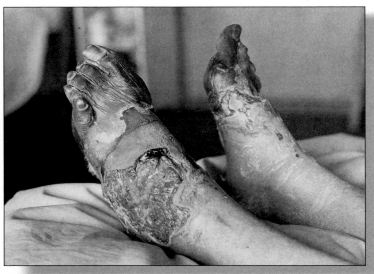

🎧 *'traed y ffosydd'*

Roedd Kendle a minnau'n cael hwyl fawr gyda'n gilydd. 'Fe saetha i ato fe eto,' meddai, pan ddaeth helmed yr Almaenwr i'r golwg eilwaith. Rydw i'n cofio gweld Kendle yn gwthio'i het dun o'i dalcen ac yn ei godi ei hun yn uwch cyn anelu. Ar ôl saethu unwaith edrychodd arnon ni a gwenu'n braf ond yr eiliad nesaf syrthiodd wysg ei ochr a marc cochlyd yn dangos ble roedd bwled wedi ei daro uwchben ei lygaid.

Ar ben hyn i gyd, roedd yr amodau yn y ffosydd yn y gaeaf yn wael iawn. Roedd dynion yn gorfod goddef yr oerni, gwlybaniaeth a mwd. Byddai sefyll yn y dŵr oedd yng ngwaelod y ffosydd am wythnosau yn achosi clefyd roedden nhw'n ei alw'n 'draed y ffosydd'.

Mae'ch traed yn chwyddo i ddwywaith neu deirgwaith eu maint ac yn mynd yn hollol farw. Os ydych chi'n ddigon ffodus i beidio â cholli eich traed, yna mae'r artaith yn dechrau. Rydw i wedi clywed dynion yn llefain a hyd yn oed yn sgrechian oherwydd y boen ac mae llawer wedi gorfod cael triniaeth i dorri eu traed a'u coesau i ffwrdd.

George Coppard, Prydeiniwr oedd yng ngofal gwn peiriant.

Roedd y bwyd yn annigonol: y diet arferol oedd biff tun efallai, hanner torth o fara ac ychydig o fisgedi sych. Pan oedd hi'n amser mynd 'dros y copa', ambell waith, roedden nhw'n cael diod o rym. Roedd y cyfuniad o wastraff, tameidiau o fwyd, ac yn bwysicach fyth, cyrff y meirwon oedd yn pydru, yn denu cwmni annerbyniol i'r ffosydd a'r milwyr yn eu casáu:

> I ychwanegu at y sefyllfa ddigysur arferol, deuai'r llygod mawr yn bla. Roedd gwybod bod y llygod anferth wedi mynd yn dew trwy fwydo ar y cyrff meirwon yn nhir neb yn gwneud i'r milwyr eu casáu yn waeth na bron ddim arall.

William Pressey, milwr.

Roedd hylendid yn broblem hefyd, gan ei bod hi'n anodd cadw'u cyrff yn lân a chael gwared â gwastraff dynol. Roedd dysentri ac anhwylderau eraill oedd yn effeithio ar y stumog yn gyffredin. Yn ei lyfr *Old Soldiers Never Die*, mae Frank Richards yn disgrifio beth ddigwyddodd iddo fe:

> Yn y nos arferem fynd dros ochr y ffos i ryw dwll siel pan oeddem eisiau mynd i'r tŷ bach. Roedden ni hefyd yn cael ein dŵr i'w yfed o dyllau sieliau. Ar y drydedd noson fe sylweddolon ni fod y dŵr roedden ni wedi bod yn ei yfed ac yn gwneud te gydag e wedi ei gario o dwll siel yr oedd rhai ohonom wedi ei ddefnyddio i bwrpas arall!

Bywyd yn y ffosydd: sawl milwr allwch chi ei weld yn y ffos?

Gweithgareddau

Defnyddiwch y ffynonellau ysgrifenedig a gweladwy sydd yma i ysgrifennu paragraff yn disgrifio'r amodau byw yn y ffosydd. Defnyddiwch y geiriau hyn yn eich brawddegau: ymosod, 'dros y copa', cyrff meirwon, 'tir neb', perygl, traed y ffosydd, diet, llygod mawr, hylendid, clefyd.

Beth ddigwyddodd ym Mrwydr Coed Mametz?

Y Prif Gwestiynau:

* Ble mae Coed Mametz a pham roedden nhw'n bwysig?

* Beth ddigwyddodd yng Nghoed Mametz?

* Pam roedd yna gymaint o filwyr wedi eu lladd neu eu clwyfo yn y frwydr?

Ble mae Coed Mametz?

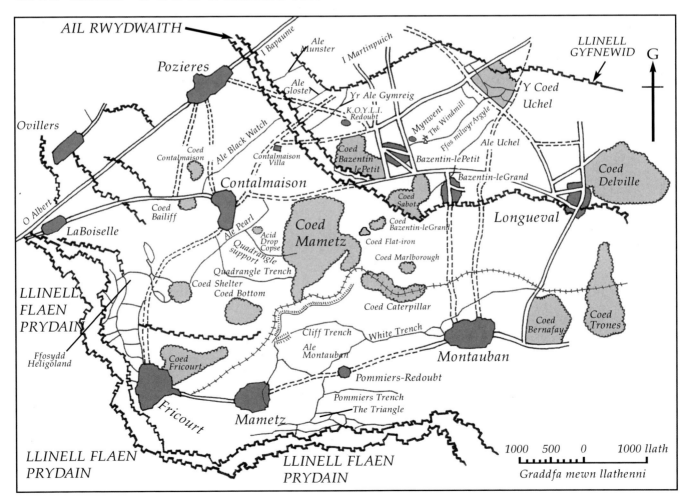

Mae'n bwysig i chi sylweddoli ble mae Coed Mametz achos rhaid i chi ddeall pam roedd hi'n bwysig i ymosod ar yr ardal. Edrychwch yn ofalus ar y map: sylwch mai Coed Mametz oedd y goedwig fwyaf ar hyd llinell flaen y Somme, roedd bron filltir o led a milltir o ddyfnder, y coed a'r llwyni yn drwchus ac wedi eu hamddiffyn yn gadarn gan un o gatrodau mwyaf brawychus yr Almaen, sef Catrawd Lehr, Gwarchodlu Prwsia.

Gallwn ddod i wybod llawer am yr hyn a ddigwyddodd ym Mrwydr Coed Mametz drwy ddarllen gwaith pobl fel Wyn Griffith. Yn ei lyfr *Up to Mametz*, mae'n disgrifio'n fanwl beth ddigwyddodd iddo fe yn y frwydr. Roedd dau arall o lenorion mwyaf enwog y Rhyfel Byd Cyntaf yno'n llygad-dystion, Robert Graves a Siegfried Sassoon.

Gallwn ddarllen tystiolaeth nifer o filwyr oedd yno ar y pryd, yn ogystal â gwaith haneswyr fel Colin Hughes a Michael Renshaw, a chael darlun gweddol gywir o'r hyn a ddigwyddodd. Ar ddiwedd y llyfr hwn, mae gweithiau'r bobl hyn wedi eu rhestru fel y gallwch chi ddod i wybod mwy am y frwydr drosoch eich hunain. Hefyd mae gwybodaeth am Mametz a'r Rhyfel Byd Cyntaf ar y We.

Bwriad y Cadfridog Haig (y Cadlywydd) a'r cadfridogion eraill oedd ymosod ar linelllau'r Almaen ar hyd yr hyn y daethpwyd i'w galw yn Gefnen Bazentin. Er mwyn gwneud hyn, fodd bynnag, roedd yn rhaid ennill y tir oedd o'i blaen, oedd yn cynnwys Coed Mametz.

Y 38ain Adran (Gymreig), oedd yn cynnwys bataliynau o wahanol rannau o Gymru, oedd i fod yn gyfrifol am gipio'r coed. Fel y gwelsom, doedd y dynion hyn ddim wedi cael eu hyfforddi yn drwyadl. Gwaeth fyth roedd swyddogion oedd wedi cael eu hyfforddi ac arfau rhyfel yn brin. Felly Adran o lasfilwyr cymharol ddi-brofiad oedd hon ac roedd ar fin wynebu un o frwydrau mwyaf gwaedlyd yr ymosodiadau ar y Somme.

TRAFODWCH

- Oedd y 38ain Adran wedi ei pharatoi'n ddigonol ar gyfer y frwydr?

Cipio Coed Mametz, 7fed-12fed Gorffennaf, 1916

Er mwyn i chi fedru deall yn union beth ddigwyddodd yn Mametz, rydyn ni wedi ysgrifennu dyddiadur sy'n dweud beth ddigwyddodd ar bob un o'r dyddiau perthnasol, wedi ei seilio ar y ffynonellau rydyn ni wedi sôn amdanynt:

5ED GORFFENNAF: PARATOADAU

Ar ôl ymdeithio dros bellter, dechreuodd yr 20,000 o filwyr oedd yn perthyn i'r Adran Gymreig ymgynnull ar y llinell flaen yn ymyl Coed Mametz a pharatoi i ymosod.

Ysgrifennodd Siegfried Sassoon, oedd yn yr adran oedd yn cael cilio o'r ffrynt wedi i'r 38ain gyrraedd, beth a welodd:

> Dynion bychan, llai na'r cyffredin, oedden nhw gan mwyaf ac, fel roeddwn i'n eu gwylio'n cyrraedd i wynebu eu profiad cyntaf yn y frwydr, roeddwn yn ymwybodol mai dioddef fyddai eu rhan. Roedd swyddog platŵn bychan yn trefnu'r dynion gan wneud sioe o fod yn hunan-hyderus. Siaradai'n siarp â rhai ohonyn nhw ac roeddwn i'n teimlo eu bod fel criw o blant.

Fe'i cafodd yr adran ei hun ar ddarn o dir uchel gyferbyn â'r coed, y rheini hefyd ar dir uchel. Rhyngddynt roedd dyffryn bychan ac felly byddai'r ymosodiad ar y cychwyn yn dilyn y tir ar i lawr, ac yna ar i fyny fel roedden nhw'n nesu at y coed eu hunain.

7FED GORFFENNAF: DROS Y COPA

Diwrnod yr ymosodiad ac o'r dechrau aeth pethau o chwith: ni lwyddodd y gynnau mawr i ddinistrio gynnau peiriant yr Almaenwyr; roedd cynllun i roi cyfle i'r milwyr symud dan gochl mwg ond ddaeth dim mwg ac roedd y gwifrau cyfathrebu, oedd rhwng y milwyr ar y llinell flaen a'r cadlywyddion, wedi eu torri.

Fodd bynnag, prif dasg yr Adran oedd ymosod ar ddarn o'r coed a elwid *'Hammerhead'*. Fe aethant 'dros y copa' am 8.30 yn y bore ac yn syth roedden nhw'n dargedau i ynnau peiriant – nid yn unig y rhai oedd yn y rhan honno o'r coed, ond hefyd i wn peiriant cudd oedd mewn clwstwr o goed i'r ochr ohonyn nhw a elwid *'flat-iron copse'*(gweler y map). Roedd y colledion yn uchel iawn. A'r gynnau peiriant yn eu difa, cafodd y bataliynau eu dal rhyw 300 llath o flaen y coed.

Mae Capten Wyn Griffith yn disgrifio'r erchylltra a welodd o'i flaen:

> Roedd dynion yn turio i'r ddaear gyda'u harfau cloddio, yn chwilio am unrhyw gysgod posibl; dynion wedi eu clwyfo yn cropian yn ôl o'r gefnen; dynion yn cropian ymlaen gyda ffrwydron. Ni allai unrhyw ymosodiad lwyddo ar dir tebyg i hwn a bwledi gynnau peiriant agos, o'r tu blaen ac o'r ochr, yn eu rhidyllio.

Anfonwyd rhedwyr i ofyn am i'r gynnau mawr ymosod ar y gelyn ond pan ddaeth yr ymosodiad fe laniodd yn rhy agos ac ar fataliynau'r 38ain Adran ei hunan! Roedd dryswch am fod y gwifrau cyfathrebu wedi eu torri ac am fod y swyddogion oedd yn rhoi gorchmynion wedi eu newid hanner ffordd drwy'r ymosodiad. Erbyn y min nos, a'r glaw'n drwm, roedd yn amlwg fod y sefyllfa'n anobeithiol a daeth y gorchymyn i roi'r gorau i'r ymosod ac i'r dynion gloddio lloches dros nos. Mae Griffith yn rhoi gwybodaeth ddefnyddiol i ni am y dryswch ymysg y cadlywyddion. Dywedodd un cadfridog wrtho:

Fe ddywedes i beth oeddwn i'n ei feddwl am yr holl fusnes. Roedden nhw eisiau i ni fwrw 'mlaen waeth beth oedd y gost, yn siarad am benderfyniad ac yn awgrymu nad oeddwn i'n sylweddoli mor bwysig oedd yr ymosodiad. Cystal â dweud 'mod i wedi blino ac yn amharod i wynebu'r dasg. Anodd barnu yn y fan a'r lle medden nhw! Fel pe na bai'r holl drybini wedi ei achosi gan rywun oedd yn ei chael hi mor hawdd barnu pan oedd e chwe milltir i ffwrdd ac heb weld y wlad erioed ac yn methu darllen map. Coeliwch chi fi, fe fyddan nhw'n f'anfon i adre am hyn; nid brigadwyr maen nhw ei eisiau ond cigyddion. Fe fyddan nhw'n cofio nawr 'mod i wedi dweud wrthyn nhw, cyn dechrau, na allai'r ymosodiad lwyddo os na allem rwystro'r gynnau peiriant. Fe fydda i yn Lloegr o fewn y mis.

Ar y diwrnod cyntaf hwn, roedd y colledion yn 400. Bu cymaint â thri phâr o frodyr farw. Un o'r storïau tristaf oedd yr un am y brodyr Tregaski. Roedden nhw wedi ymfudo i Ganada i ffermio cyn y rhyfel ond pan ddechreuodd y rhyfel roedden nhw wedi dod adre i ymuno â'r fyddin. Dywedodd un llygad-dyst fod un brawd wedi cael ei saethu yn ei ben y diwrnod cyntaf hwnnw, aeth y llall i'w helpu a chafodd yntau ei saethu – fe fuon nhw farw gyda'i gilydd.

TRAFODWCH A MYNEGI BARN

- A barnu oddi wrth yr hyn a ddywedodd y cadfridog am y cadlywyddion, oedden nhw'n sylweddoli mor waedlyd oedd y frwydr?

10FED GORFFENNAF: MWY O YMOSODIADAU

Milwyr
Almaenig yn
tanio o'u ffos ar
dir uchel.

Daeth gorchymyn i ymosod ar y Coed eilwaith gan ddefnyddio tacteg a elwid yn 'daniad symudol' *('creeping barrage')*. Roedd hyn yn golygu ceisio saethu sieliau i lanio 50 llath o flaen y milwyr pan oedden nhw'n symud ymlaen i ymosod, gan ffurfio rhyw fath o darian amddiffynnol. Fodd bynnag, roedd yn dacteg hynod beryglus gan ei bod yn dibynnu ar i'r saethwyr sylwi'n ofalus a thanio'n fanwl gywir. Un o'r bataliynau oedd yn ymosod yn uniongyrchol ar y coed oedd 14eg fataliwn y Gatrawd Gymreig (cyfeillion Abertawe) ac Edward Clement yn filwr ynddi, wrth gwrs. Mae Capten Glynn Jones wedi disgrifio'r olygfa:

Dechreuodd y gynnau peiriant a'r reifflau danio ac roedd anhrefn llwyr yn gyffredinol. Ychydig ydw i'n ei gofio am hynny heblaw fy mod i fy hun yn symud yn gyflym i lawr llethr gyda thyllau bwled yn fy mhoced ac yn gweiddi rhyw gymaint. Sylwais ... fod dynion oedd o'n blaenau ni yn gwbl ddigalon. Allan o'r dryswch mwyaf a welais erioed cesglais hynny o ddynion allwn i eu gweld a gorchymyn iddynt fynd i'r ffos.

Fodd bynnag, mae'n debyg fod y dacteg wedi dechrau llwyddo oherwydd, ar waethaf y ffaith fod gynnau peiriant yn tanio'n gyson, dechreuodd yr ymosodwyr ennill tir, er bod y colledion yn ofnadwy o uchel.

Dyma sarsiant yn disgrifio'r olygfa:

Pan ddechreuodd y tanio fe ddechreuon ni symud ymlaen yn eitha' trefnus. Mae'n amhosibl disgrifio'r tensiwn a'r sŵn gyda sieliau yn chwyrlïo trwy'r awyr a sŵn ffrwydro o'n cwmpas ym mhobman. Roedd yn amhosibl rhoi gorchmynion llafar ac roedd yn rhaid dibynnu ar arwyddion llaw i ddangos unrhyw symudiad. Roedd dynion yn syrthio ar bob llaw oherwydd y saethu cyson o'r gynnau peiriant. Sut y bu i ni gyrraedd y coed wn i ddim, ond fe gyrhaeddon ni yno a mynd i mewn beth pellter i'r coed cyn i'r Almaenwyr ddod i gwrdd â ni – wyneb yn wyneb – a bu llawer o ymladd cyn i ni gael ein gorfodi i gilio nôl i'r maes wedyn.

Bu dwy ymgais arall i fynd i mewn i'r coed ac ar y drydedd ymgais llwyddodd 13eg fataliwn y Gatrawd Gymreig (cyfeillion y Rhondda). Yn y cyfamser, roedd y 14eg fataliwn (Abertawe) hefyd yn ymosod ac wedi cyrraedd at ymyl y goedwig. Fodd bynnag, roedd y coed a'r isdyfiant yn drwchus iawn ac yn rhwystro'r milwyr rhag symud ymlaen. Dyma ddisgrifiad Capten Wyn Griffith:

Fe sylweddolais mor styfnig oedd natur yr isdyfiant pan geisiais adael y prif lwybr i osgoi sielio trwm. Allwn i ddim gwthio ffordd trwyddo; roedd blynyddoedd o esgeulustod wedi troi'r coed yn rhwystr cadarn, yn filltir o led. Roedd y sieliau wedi rhwygo peth o'r tyfiant ifanc yn y pen deheuol, ond roedd hefyd wedi cwympo coed a changhennau mawr a'r rheini'n ffurfio baricêd.

Mlwyr Prydeinig ar gyrion Coed Mametz.

Roedd llawer o ddynion wedi eu dal rhwng y tanio o'r ddwy ochr, ond mae'n ymddangos fod yr Almaenwyr yn dioddef yn waeth fyth. Dyma ddisgrifiad sarsiant oedd ym myddin yr Almaen:

> Roedd y tanio'n gwbl ffyrnig. Roedd bron bob siel yn glanio yn y ffos. Cafodd rhai dynion eu claddu'n fyw ac eraill eu chwythu i'r awyr. Roedd un sgwad wedi cloddio twll dwfn i ochr y ffos i'w hamddiffyn eu hunain. Roedd yn rhy ddwfn achos glaniodd dwy siel yn union ar eu pennau a chafodd chwe dyn eu claddu yn y twll. Fe ddechreuon ni grafu'r pridd yn syth a gallem glywed rhywun yn gweiddi ond lwyddon ni ddim i achub pawb.

Sergeant Gottfried Kreibohm, 10fed Cwmni, Catrawd Lehr (gwŷr traed).

Erbyn tua 11.00 y bore roedd yr Adran wedi cipio rhan flaenaf y coed ond roedd y gost yn uchel. Gadawyd llawer o ddynion oedd wedi eu clwyfo heb ymgeledd, yn galw am help. O'r saith bataliwn oedd â rhan yn yr ymladd, roedd pump o'r cadlywyddion naill ai wedi eu lladd neu wedi eu clwyfo'n ddifrifol. Golygai hyn ei bod hi'n anodd cyfeirio'r miloedd o filwyr oedd nawr yn y coed. Bu mwy o ymladd ond erbyn 6.30 y min nos roedd y dynion wedi hen flino ac yn brin o ddŵr ac felly cloddiodd yr Adran loches dros nos. Roedd y dynion yn dal i fod ar bigau'r drain, yn saethu'n wyllt i dywyllwch y coed yn aml.

Milwr Almaenig. Sylwch ei fod yn llechu y tu ôl i filwr marw.

Yn wir, efallai nad oedd yr Adran yn sylweddoli maint ei llwyddiant. Roedd yr Almaenwyr a'r gynnau yn saethu atynt o bob tu, wedi gorfod cilio nôl i'w hail linell amddiffyn. Fel hyn y disgrifiodd lifftenant Almaenig beth oedd wedi digwydd iddo fe a'i ddynion:

> Roedd y ddaear y tu ôl i'n ffos ni yn darged cyson i sieliau, ond tua hanner nos peidiodd y tanio ac fe benderfynon ni ddianc yn gyflym. Gweithiodd y cynllun yn iawn ac er bod nifer o'r dynion wedi cael eu clwyfo gan y sieliau a'r bwledi strae fe lwyddon i gyrraedd y wifren bigog oedd o flaen ein hail linell amddiffyn am 1.30 y bore. Yma croesawyd ni gan wn peiriant a ddechreuodd danio o'r ffos, ond fe orweddon ni ar y ddaear a gweiddi ac yn fuan fe lwyddon ni, yn ffodus heb dalu unrhyw bris, i ddarbwyllo'r saethwr ei fod yn gwneud camgymeriad.

Erbyn diwedd y dydd, roedd un cadfridog Prydeinig yn gallu ysgrifennu yn ei ddyddiadur fod 'y 38ain Adran wedi llwyddo i gipio bron y cyfan o Goed Mametz'. Adroddwyd fod y Cadfridog Haig yn fodlon iawn gyda'r cynnydd oedd wedi ei wneud.

Milwyr Almaenig ar y Ffrynt Gorllewinol.

TRAFODWCH:

- Beth oedd manteision ac anfanteision y 'taniad symudol'?

11FED GORFFENNAF: YMOSODIADAU AR YR YMYLON GOGLEDDOL A GORLLEWINOL

Ar waethaf y cynnydd hwn, roedd cadlywyddion yr Almaen yn benderfynol o ddal eu gafael ar y rhannau gogleddol a gorllewinol o'r coed. Erbyn hyn y Brigadydd Evans oedd yng ngofal yr Adran. Gwnaeth arolwg o gyflwr y llinell a sylweddoli fod y dynion wedi blino'n lân, ar chwâl ac yn ddi-drefn. Gorchmynnwyd i fataliynau eraill ddod i gymryd eu lle a chafodd y 13eg (Rhondda) a'r 14eg (Abertawe), oedd wedi ymladd mor ddewr am 24awr i bob pwrpas, gilio o'r coed. Roedd un o gadlywyddion y fataliwn wedi ei glwyfo ac felly dyrchafodd Evans Capten Wyn Griffith i gymryd ei le. Mae yntau wedi rhoi i ni un o'r disgrifiadau mwyaf byw o'r olygfa yn y coed:

Roedd nifer fawr o'r dynion oedd yn fy mataliwn yn gorwedd yn feirwon ar y ddaear. Roedden nhw'n gwisgo bathodynau melyn ar eu llewys ac onibai am y nod arbennig hwnnw byddai wedi bod yn amhosibl adnabod gweddillion llawer ohonyn nhw. Roedd offer, ffrwydron, rholiau o wifren bigog, tuniau o fwyd, helmedau nwy a reifflau yn gorwedd ar hyd y lle i gyd.

Roedd yno fwy o gyrff nag o ddynion, ond roedd gwaeth na'r cyrff i'w weld yno. Aelodau o gyrff oedd wedi eu darnio, yma ac acw ben heb gorff a'r gwaed coch wedi ei dasgu ar wyrddni'r dail, ac fel pe'n hysbyseb o erchylltra ein ffordd o fyw a marw a'r modd rydyn ni'n croeshoelio'r ifanc, roedd un goeden yn cynnal yn ei changhennau goes a'r cnawd briw yn hongian dros glwstwr o ddail.

Ar waethaf cyflwr ofnadwy'r milwyr, gorchmynnodd y cadfridogion, oedd yn aros gryn chwe milltir o Mametz, ymosodiad arall. Cyrhaeddodd un cadfridog yno a gorchymyn i Evans drefnu i ymosod mor fuan ag oedd yn bosibl ar y cyrion gogleddol a gorllewinol, gan eu bod yn meddwl fod yr Almaenwyr wedi cilio'n llwyr. Y gwir oedd bod y gelynion wedi cloddio i'w ffosydd eto, yn benderfynol o amddiffyn eu hail linell.

Unwaith eto, roedd y 38ain Adran ynghanol brwydro ffyrnig. Taniodd gynnau mawr Prydain yn ddidostur ar safleoedd yr Almaenwyr yn y coed. Dyma ddisgrifiad Sarsiant Gottfried Kreibohm, oedd yn dal i fod yn y coed:

Dechreuodd y gelyn ein pledu yn drwyadl â sieliau trwm. Saethai ffynhonnau poeth o bridd gan troedfedd i'r awyr. Bob pymtheng munud roedd yn rhaid i ni rofio tyweirch o'n tyllau. Roedd darnau o offer yn hedfan allan o'r ffos a pholion gwifrau pigog yn chwyrlïo'n wirion trwy'r awyr. Roedd sŵn dwndwr yn y ddaear a'r tir yn chwydu gyda phob ffrwydrad. Yn sydyn, clywn sŵn fel trên nwyddau yn chwyrnellu i 'nghyfeiriad ac yn reddfol rhois fy nwylo dros fy mhen. Arhosais am un, dau, pum eiliad arteithiol am y ffrwydrad. Pan na ddigwyddodd un dim, agorais fy llygaid a gweld, er rhyddhad mawr i mi, siel fawr wedi ei hanner gladdu yn y ddaear ddim ond medr a hanner oddi wrthyf. Pelen glwc oedd hi. Felly y bu i ni aros yn ein tyllau am ddeng awr – y deng awr mwyaf brawychus a brofais erioed.

Os oedd Sarsiant Kreibohm yn lwcus, roedd y newyddion a gafodd Capten Griffith yn ddrwg iawn. Roedd yn ymddangos fod y tanio yn achosi colledion difrifol i'r Prydeinwyr hefyd am fod llawer o'r sieliau yn disgyn cyn cyrraedd eu targed. Gan fod y gwifrau cyfathrebu wedi eu torri, gorchmynnodd Griffith i redwyr roi gwybod i'r cadlywyddion, oedd yng ngofal y tanio, fod angen rhoi'r gorau i'r saethu. Erbyn diwedd y dydd roedd yn amlwg fod y 38ain Adran wedi diffygio'n llwyr ac wedi goddef colledion enbyd, ac felly daeth y gorchymyn iddi gilio ac i'r 21ain Adran gymryd ei lle. Pan oedd Capten Griffith yn dychwelyd o'r coed gyda'i fataliwn, daeth swyddog cyfathrebu i gwrdd ag e. Dyma sut mae Griffith yn disgrifio'r newydd difrifol a gafodd:

'Rydw i am gael gair â chi,' meddai, gan fy nhynnu o'r neilltu. 'Mae gen i newyddion drwg i chi.'

'Beth sy wedi digwydd i 'mrawd iau, ydy e wedi ei glwyfo?'

'Wyddoch chi'r neges diwetha' anfonoch chi i geisio'u cael i roi'r gorau i'r tanio? Wel, fe oedd un o'r rhedwyr aeth â'r neges. Dydy e ddim wedi dod nôl. Fe lwyddodd i ddweud y neges yn iawn ond ar ei ffordd yn ôl drwy'r tanio cafodd ei saethu. Cafodd ei ffrind ei glwyfo gan yr un un belen a laddodd eich brawd, fe ddywedodd wrth redwr arall am ddweud wrthyn ni'.

'Dduw mawr, mae e'n gorwedd allan fan yna nawr!'

'Na, mae e wedi mynd.'

'Ydy. Ydy, mae e wedi mynd.'

'Mae'n ddrwg gen i. Roedd yn rhaid i mi ei anfon, dych chi'n gw'bod.'

'Oedd, wrth gwrs, roedd yn rhaid i chi. Alla' i ddim gadael y lle yma. Debyg gen i nad oes dim amheuaeth ei fod wedi ei ladd?'

'Dim, mae e tu hwnt i hyn nawr'

TRAFODWCH

* Beth yw'r fantais o ddysgu am yr hyn a ddigwyddodd yng Nghoed Mametz trwy ddarllen tystiolaeth Brydeinig AC Almaenig?

12 GORFFENNAF: CIPIO COED MAMETZ

Ni chafodd yr 21ain Adran fawr o drafferth i glirio'r rhan oedd yn weddill o Goed Mametz a chyrraedd yr ymyl ogleddol erbyn canol dydd ar y 12fed Gorffennaf, gan ddod o hyd i gannoedd o Almaenwyr yn farw yn y coed.

Effaith y magnelau ar y coed.

Gweithgaredd

Roedd Coed Mametz i fod i syrthio i feddiant y Prydeinwyr o fewn ychydig oriau, ond fe gymerodd 5 diwrnod i'w hennill. Edrychwch yn ofalus ar y dystiolaeth a nodi:

- Rhesymau pam roedd Coed Mametz yn anodd iawn eu hennill
- Pethau aeth o chwith rhwng 7fed-12fed Gorffennaf
- Rhowch enghraifft o lwc dda ac o lwc ddrwg a gafwyd yn ystod y frwydr.

Dehongli Brwydr Coed Mametz: dynion llwfr neu flerwch bwngleraidd?

- Pam mae yna wahanol ddehongliadau o'r hyn a ddigwyddodd ym Mrwydr Coed Mametz?
- Pam mae rhai'n dal i ddadlau dros Frwydr Mametz?
- Pa gasgliadau allwn ni ddod iddynt, wedi eu seilio ar y dystiolaeth?

Ar ôl y Frwydr

Roedd Brwydr Coed Mametz yn un o'r rhai mwyaf ffyrnig a mwyaf gwaedlyd ar y Somme. Cawn un o'r disgrifiadau enwocaf o'r dyddiau ar ôl y frwydr gan Graves yn *Goodbye To All That*, lle mae'n crisialu erchylltra rhyfel:

Fe dreulion ni'r ddau ddiwrnod nesa' mewn pebyll y tu allan i Goed Mametz. Roedden ni'n ymladd gyda'n pac ac yn teimlo'n oer wedi iddi nosi, felly fe es i'r coed i chwilio am gotiau mawr Almaenwyr i'w defnyddio fel blancedi. Roedd (y coed) yn llawn o Warchodwyr Prwsia, dynion mawr, a Ffiwsilwyr Cymreig a Gororwyr De Cymru, dynion bach, yn feirwon. Doedd dim un goeden yn y goedwig heb ei thorri. Cesglais fy nghotiau mawr a dod oddi yno cynted ag y gallwn gan ddringo trwy ganghennau gwyrdd wedi eu rhwygo. Es heibio corff chwyddedig drewllyd Almaenwr oedd â'i gefn yn pwyso ar goeden. Roedd ei wyneb yn wyrdd, roedd ganddo sbectol a'i wallt wedi ei eillio – roedd gwaed du yn diferu o'i drwyn a'i farf. Yna, fe ddois ar draws dau gorff arall bythgofiadwy – un o Ororwyr De Cymru ac un o filwyr Catrawd Lehr wedi llwyddo i ladd y naill a'r llall â'u bidogau, ar yr un pryd.

Roedd cyfanswm colledion y 38ain Adran bron yn 4,000, ac yn cynnwys:

	Swyddogion	Mlwyr cyffredin
Lladdwyd	46	556
Ar goll	6	579
Wedi eu clwyfo	138	2668
Cyfanswm	**190**	**3803**

Cofiwch hefyd fod hyn wedi digwydd o fewn pum diwrnod yn unig. Rhaid bod yr effaith ar ddynion fel Capten Wyn Griffith yn ddychrynllyd. Ystyriwch sut roedd e'n teimlo – nid yn unig roedd yn rhaid iddo fyw gyda'r atgof o'r hyn roedd wedi ei weld (ar ôl y rhyfel dywedai na allai fyth arogli pren newydd ei dorri heb feddwl am gnawd dynol), roedd hefyd yn gorfod byw gyda'r gofid ei fod wedi anfon ei frawd e'i hunan i'w angau.

Eto, ar waethaf yr aberth bersonol eithriadol a wnaeth y dynion yng Nghoed Mametz, bu peth dadlau ynghylch Brwydr Coed Mametz ac ymddygiad y dynion fu'n ymladd ynddi. Roedd y 38ain Adran wedi llwyddo i gipio'r goedwig fwyaf yn ardal y Somme ac i wthio'r Almaenwyr yn ôl i'w hail linell. Ond, er eu bod wedi llwyddo yn eu nod, ciliodd yr Adran yn ddistaw o'r llinell flaen, ni chafodd fawr o sylw na chlod am yr hyn roedd wedi ei gyflawni ac ni bu ganddi unrhyw ran bellach yn y brwydro ar y Somme.

Ar ôl y rhyfel, mewn llyfr gyda'r teitl *Sir Douglas Haig's Command* (1919), dadleuodd yr Is-Gyrnol Boraston, fod yr oedi dros bedwar diwrnod cyn cipio Coed Mametz wedi effeithio'n fawr ar ganlyniad Brwydr y Somme yn y pen draw. Roedd yr oedi wedi golygu fod yr Almaenwyr wedi llwyddo i gryfhau eu sefyllfa trwy symud milwyr oedd wrth gefn i amddiffyn eu llinell. Golygai hyn fod y Prydeinwyr wedi methu torri drwodd yn gyflym.

Efallai fod y cyhuddiad a wnaeth rhai ar ôl y rhyfel yn fwy difrifol fyth, sef, mai'r rheswm am yr oedi oedd fod y milwyr oedd yn ymladd yn Mametz yn llwfr.

Fodd bynnag, mae eraill wedi awgrymu mai strategaeth y cadlywyddion oedd i'w feio; dadleuir fod y cadfridogion oedd yng ngofal yr ymosodiad yn ddi-glem ac mai eu blerwch bwngleraidd nhw oedd yn gyfrifol am y methiant.

Yn ei lyfr *Mametz* a gyhoeddwyd yn 1982, mae Colin Hughes wedi edrych yn ofalus ar y ddwy ochr i'r ddadl. Mae peth o'r dystiolaeth wedi ei chyflwyno yma a gallwch chi ei chloriannu a phenderfynu drosoch eich hunain ar bwy roedd y bai.

TRAFODWCH

- Pam rydym ni'n gallu cael gwahanol ddehongliadau o un digwyddiad?

Dehongliad1: Llyfrdra?

Lloyd George,
Haig, Joffre ac
Albert Thomas.

Cyhuddiad difrifol ar ôl y rhyfel oedd nad oedd y
milwyr yn Mametz wedi ymladd yn ddewr.
Awgrymodd y Brigadydd Price-Davies, oedd yn un
o'r cadlywyddion yn Mametz, yn ei adroddiad yn
fuan ar ôl y frwydr, er bod yr Adran wedi ymladd
yn ddewr ac arwrol yn yr ymosodiad ar 10fed
Gorffennaf, yn ddiweddarach, yn ôl uwchgapten y
frigâd, roedd y milwyr yn enbyd o ddigalon:

Cynyddodd y digalondid tua'r min nos ar y
10fed a'r uchafbwynt oedd panig gwarthus pan
adawodd nifer fawr y coed ac roedd yn
ymddangos fod eraill yn methu deall neu'n
amharod i ufuddhau i'r gorchymyn mwyaf syml.
Byddai ychydig o Almaenwyr dewrgalon wedi
rhusio pawb o'r milwyr oedd yn y coed. Yn
hwyrach yn y nos, pan gafwyd mymryn o fraw
bu tanio gwyllt a chafodd nifer o'n dynion ni eu
taro ac un swyddog ei ladd oherwydd y diffyg
disgyblaeth hwn.

Mae'r Uwchgapten Drake-Brockman, cyn-swyddog staff oedd yn ysgrifennu yn 1930, yn awgrymu fod siarad cyffredin ymysg gweddill y fyddin am fisoedd ar ôl y frwydr fod yr Adran Gymreig wedi rhedeg i ffwrdd yn hytrach na wynebu'r frwydr. Mae Siegfried Sassoon yn *Memoirs of an Infantry Officer*, yn ysgrifennu am y 'sibrydion gwyllt' oedd yn ei gyrraedd fod milwyr Cymreig wedi troi cefn a ffoi rhag wynebu gynnau peiriant. Ac yn y bennod ddiwethaf gwelsom fel roedd y Capteiniaid Glynn Jones a Wyn Griffith yn cyfeirio at yr anhrefn a'r 'dryswch' ymysg llawer o'r dynion pan oedd y frwydr ar ei phoethaf.

Yn ôl Colin Hughes, roedd cadlywyddion bataliynau i fod i ddweud wrth eu dynion:

'does neb i ddefnyddio'r gair "cilio" ac y mae unrhyw ddyn sydd **yn** ei ddefnyddio'n debyg o gael ei saethu yn y fan a'r lle. Rhaid i swyddogion ddelio â phob enghraifft o ddiffyg disgyblaeth o'r fath, na ellir ei waredu ond trwy weithredu'n gwbl hallt.'

Yn ei adroddiad yn syth ar ôl y frwydr roedd Cyrnol Price-Davies hefyd yn beirniadu rhai o'r bataliynau roedd e'n gyfrifol amdanynt, yn awgrymu mewn modd iasol braidd: 'pan ddaw methiant i'r amlwg, dylid ei wynebu'.

Eto, fel y gwelsom, mae tystiolaeth Graves a Griffith yn awgrymu fod y milwyr wedi ymladd yn hynod o ddewr. Nid oedd y swyddogion a ddaeth i'r coed yn syth ar ôl y frwydr yn gwybod dim am y sibrydion fod y 38ain Adran wedi ffoi! A beth am y sibrydion? Mae bron yn anghredadwy na fyddai rhai wedi ffoi yn wyneb y fath erchyllterau. Fel mae'r hanesydd Michael Renshaw wedi dadlau:

Ni ellir gwadu na fu i rai dynion adael y fan lle bu'r brwydro mewn peth anhrefn ond cyn condemnio unrhyw enghraifft o ymddygiad felly mae'n bwysig ceisio ail-greu'r sefyllfa a deall yr amgylchiadau yn y coed, cyn belled ag y mae hynny'n bosibl.

Rhaid cofio, wrth gwrs, fel y gwelsom yn y penodau blaenorol yn y llyfr hwn, mai gwirfoddolwyr fel Edward Clement oedd yn y 38ain Adran, dynion nad oedd ganddynt unrhyw brofiad o frwydro ac nad oeddent wedi derbyn fawr ddim hyfforddiant. Nid yw'n syn fod rhai ohonynt wedi drysu mewn panig, yn enwedig wrth wynebu'r fath elyn.

Dywedodd Drake-Brockman, a soniodd am y sibrydion, hefyd:

Roedd natur y coed, y trwch, yn golygu bod yr ymosodiad olaf yn fwy o her nag y byddai wedi bod dridiau ynghynt – y ffaith yw fod Coed Mametz ar 10fed Gorffennaf yn fenter wirioneddol anodd ac mae'r adran yn haeddu clod am yr hyn a wnaeth ar ôl llanast y tri diwrnod cyn hynny.

Efallai mai tystiolaeth y Brigadydd Price-Davies sydd ymysg y pwysicaf. Fel y gwelsom roedd wedi beirniadu rhai o'i filwyr yn ei adroddiad o'r frwydr, ond yn ddiweddarach ysgrifennodd:

Ers hynny, fodd bynnag, rwy wedi cael hanesion am wrhydri swyddogion a milwyr cyffredin ac rwy'n teimlo ei bod hi'n bosibl na roddais y clod llawn i'm brigâd am yr hyn wnaethon nhw yng Nghoed Mametz.'

Gorwedd milwr marw o dan ei wn.

Dehongliad 2: Blerwch bwngleraidd

Fel gyda sawl digwyddiad hanesyddol, gellir cynnig tystiolaeth arall sy'n gwrthddweud neu'n groes i'r dystiolaeth gynharach.

Dadleuai Boraston fod Mametz yn un o'r ffactorau – yn wir efallai'r ffactor bwysicaf – oedd yn gyfrifol am fethiant Brwydr y Somme. Fodd bynnag, mae llawer o'r haneswyr sy'n ymdrin â'r agwedd filwrol yn dadlau fod amcanion a strategaeth y cadfridogion oedd mewn awdurdod yn hynod or-optimistaidd a bod yr holl gynllun wedi ei dynghedu i fod yn fethiant, hyd yn oed cyn ei ddechrau. Felly gor-ddweud anferthol yw honni fod methiant brwydr y Somme i'w briodoli i'r oedi fu ym mrwydr Coed Mametz.

Mae yna dystiolaeth hefyd fod y cynlluniau ar gyfer yr ymosodiad ar Goed Mametz yn ddiffygiol. Mae rhai haneswyr yn dadlau fod y cadlywyddion oedd yn gorchymyn yr ymosodiad yn gwbl anaddas i'r gwaith a bod dau ohonyn nhw, yr Uwchfrigadydd Philips a'r Is-Gyrnol David Davies, yn benodol, wedi eu penodi yn syml am eu bod wedi bod yn gyfeillion i Lloyd George! Mae haneswyr fel John Laffin (gw. tud. 98) yn dadlau fod y cadlywyddion ar y Somme yn ddi-glem ac nad oedd ganddynt fawr o gydymdeimlad â milwyr cyffredin a gafodd eu haberthu yn y gyflafan.

Milwyr Almaenig yn tanio un o'u gynnau mawr.

Tyllau sieliau a achoswyd gan y tanio o'r gynnau mawr.

Mae'r hanesydd Colin Hughes yn credu bod y problemau a wynebai'r milwyr yng Nghoed Mametz i'w priodoli i'r hyn a ddigwyddodd wythnos yn gynharach ar 1af Gorffennaf. Ar y diwrnod ofnadwy yna, diwrnod cyntaf Brwydr y Somme, roedd nifer y lladdedigion a'r clwyfedigion yn ddychrynllyd, ond roedd rhai adrannau wedi llwyddo i wthio ymlaen yn weddol gyflym gan dorri trwodd i'r de o'r coed a chipio pentref Mametz ei hunan, hyd yn oed. Fodd bynnag, ni ddaliodd yr adrannau hyn ati ac ymosod ar y coed. Mae Hughes yn dyfynnu swyddog staff sy'n hel atgofion:

Collwyd cyfle gwych ar y min nos 1af Gorffennaf. Roeddwn i'n gwybod yn sicr nad oedd yna fawr iawn o filwyr y gelyn yng Nghoed Mametz ar y pryd. Byddai'r 17eg Adran wedi gallu ymosod drwy'r 7fed Adran o'r de ar Goed Mametz ar doriad gwawr ar 2il Gorffennaf. Byddai hyn wedi cwtogi'r ymgyrchoedd diweddarach oedd mor hirfaith ac mor gostus yng Nghoed Mametz eu hunain. Pe bai hyn wedi ei wneud gellid bod wedi rhwystro'r Almaenwyr rhag cael milwyr i gefnogi i'r ardal hon.

Fel y digwyddodd, gohiriwyd yr ymosodiad ar y coed hyd 7fed Gorffennaf gan roi digonedd o amser i'r Almaenwyr gryfhau eu safle a galw mwy o filwyr i'r frwydr. Efallai, pe bai'r cadlywyddion wedi sylweddoli'n llawn beth oedd y sefyllfa, y bydden nhw wedi manteisio ar eu cyfle ar y 1af Gorffennaf.

Cyhuddiad arall yn erbyn y cadfridogion yw nad oedden nhw wedi sylweddoli mor anodd fyddai hi i ymwthio i mewn i'r coed. Fel y gwelsom, roedd y goedwig yn un o'r rhai mwyaf ar y Somme ac roedd yr Almaenwyr yn ei hamddiffyn yn gadarn (erbyn y 7fed Gorffennaf) ac roedd coed ac isdyfiant trwchus yn rhwystr. Byddai cipio'r goedwig hon wedi bod yn her i fyddin drefnus, ddisgybledig, heb sôn am un fel y 38ain Adran, oedd yn fyddin o wirfoddolwyr a anfonwyd i'r gad heb fawr ddim hyfforddiant.

Gweithgaredd

Pam roedd hi wedi cymryd cymaint o amser i gipio'r coed, yn eich barn chi?

Defnyddiwch y dystiolaeth yn y bennod hon, ac ym mhennod 6, i ateb y cwestiwn.

Gofalwch eich bod yn cloriannu'r dystiolaeth!

Beth ddigwyddodd i Edward Clement a Jack Thomas?

Y PRIF GWESTIYNAU:

- Beth ddigwyddodd i Edward Clement a Jack Thomas?
- Beth ddigwyddodd yn y dyddiau ar ôl Brwydr Coed Mametz?
- Beth ddigwyddodd yn yr Ale Gymreig ('Welsh Alley')?

Edward Clement a'r 14eg Fataliwn (Abertawe) o'r Gatrawd Gymreig

Fel y gwelsom ym mhennod 4, ymosododd y 14eg fataliwn (Cyfeillion Abertawe) o'r Gatrawd Gymreig ar ran flaen, neu ran ganol Coed Mametz ar 10 Gorffennaf, 1916. Un o'r milwyr oedd yn ymosod oedd Edward Clement. Trist nodi, os edrychwh am ei enw ar wefan y Comisiwn Beddau Rhyfel Ymerodrol (*Commonwealth War Graves Commission*) fe welwch y manylion hyn:

> E. Clement
> Private 44283 y 14eg Fataliwn, Y Gatrawd Gymreig
> Bu farw o'i glwyfau, Mercher 12 Gorffennaf 1916. Oed 21.
> Mab David ac Ann Clement, Hafod, Abertawe.

Claddwyd Edward Clement ym mynwent Gorsaf Heilly, Mericourt-L'Abbe, yn ardal y Somme. Man cynnull i glwyfedigion oedd hwn, lle roedd y milwyr oedd wedi eu hanafu a'r meirwon yn cael eu danfon. Yn nes ymlaen fe'i gwnaed yn fynwent. Mae Edward wedi ei gladdu yma gyda 2,890 o filwyr eraill yn cynnwys 83 Almaenwr. Fel gyda llawer o filwyr eraill yn ystod y rhyfel, mae bron yn amhosibl gwybod yn union sut y bu farw. Mae'n debyg ei fod wedi ei glwyfo rywbryd ar y 10fed o Orffennaf ac iddo farw o'i glwyfau yn ddiweddarach, oherwydd cafodd bataliwn Abertawe orchymyn i adael maes y frwydr ar yr 11eg.

Mae'r ffaith ei fod wedi ei gofrestru fel milwr 'fu farw o'i glwyfau' yn awgrymu ei fod, fel miloedd o filwyr eraill yn ystod y rhyfel, wedi dioddef marwolaeth boenus. Efallai ei fod wedi marw dan amgylchiadau tebyg i'r un a ddisgrifir gan Graves ar dudalen 5. Mae'n debyg na chawn ni byth wybod i sicrwydd, bydd yn rhaid i ni ddyfalu ar sail y dystiolaeth sydd gennym.

Yn sicr, ni bu farw ar ei ben ei hun. Edrychwch eto ar y llun o Fataliwn Abertawe y tu allan i westy'r George yn y Mwmbwls yn gynnar yn y flwyddyn 1916 (tud. 20) Bu farw 62 o'r dynion hyn yng Nghoed Mametz, gan gynnwys o leiaf 6 o'r Hafod, lle roedd cartref Edward. Mae'n debyg felly, ei fod wedi marw yng nghwmni rhai o'i gyfeillion.

TRAFODWCH:

- Darllenwch hanes y digwyddiadau ym mhennod 6 yn ofalus. Gan seilio'ch gwaith ar y dystiolaeth, rhestrwch y gwahanol ffyrdd y gallai Edward fod wedi cael ei glwyfo ar y 10fed/11eg Gorffennaf.

Gweddillion safle gwylio milwyr Almaenig yng Nghoed Mametz.

Jack Thomas a'r Ale Gymreig ('*Welsh Alley*')

Yn y cyfamser, beth ddigwyddodd i Jack Thomas? Rhaid cofio fod Jack wedi ymuno â'r fyddin bron cynted ag y dechreuodd y rhyfel ac felly doedd e ddim yn perthyn i'r 38ain Adran. Os edrychwch chi ar dudalen 16 fe welwch fod Jack wedi cyrraedd Albert ar ddechrau Gorffennaf 1916. Wnaeth e ddim ymladd yng Nghoed Mametz ond roedd yn rhan o'r fyddin ddaeth drwy Goed Mametz i gymryd lle'r 38ain Adran ar ôl 12fed Gorffennaf. Ystyriwch sut y byddai Jack Thomas yn teimlo pan ddaeth wyneb yn wyneb â'r lladd a'r dinistr roedd Griffith, Graves ac eraill wedi byw trwyddo!

Mae'n bwysig cofio nad oedd cipio Coed Mametz yn unig yn datrys y sefyllfa. Rhan o gynllun mwy oedd – y nod oedd cipio'r tir uchel, sef Cefnen Bazentin, lle roedd ail linell amddiffyn yr Almaenwyr a'r ffosydd wedi eu cloddio erbyn 14eg Gorffennaf. Roedd gan Thomas ran allweddol i'w chwarae yn yr ymosodiad hwn ac, yn wahanol i stori Edward Clement, mae hi'n bosibl, ar ôl gwneud llawer o waith ymchwil manwl, casglu'r wybodaeth am yr hyn a ddigwyddodd i Jack mewn lle y daethpwyd i'w alw yn Ale Gymreig'.

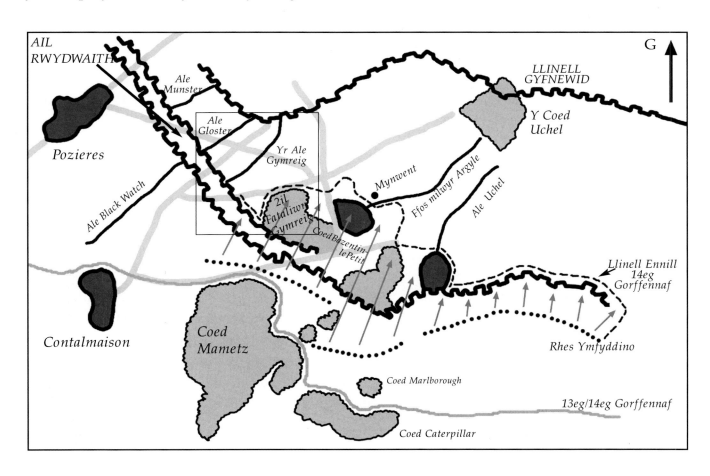

12fed Gorffennaf: Roedd Coed Mametz wedi eu cipio a bataliynau'r 38ain Adran yn cael cilio o faes y frwydr. Un o'r bataliynau ddaeth i'r bwlch yn eu lle oedd bataliwn Jack, 2il fataliwn y Gatrawd Gymreig. Ar orchymyn y Cadfridog Haig taniodd y gynnau mawr 370,000 o sieliau ar linellau'r Almaenwyr oedd i'r gogledd o Goed Mametz.

13eg Gorffennaf: Wedi i'r gynnau dewi gorchmynnwyd i Jack a'i fataliwn gloddio ffosydd i'r gogledd o Goed Mametz, yn ymyl lle o'r enw Coed Bazentin le Petit.

14eg Gorffennaf : ar doriad gwawr gorchmynnwyd i fataliwn Jack fynd 'dros y copa'. Fe wnaethon nhw gynnydd ardderchog a llwyddo i wthio'r Almaenwyr yn ôl tua'r 'Llinell Gyfnewid'('*Switch Line*') oedd wedi ei hamddiffyn yn gadarn. Cloddiodd y fataliwn ei ffosydd o gwmpas ardal Coed Bazentin le Petit.

15fed Gorffennaf: Dechreuodd yr Almaenwyr wrth-ymosod yn ffyrnig o'r Coed Uchel. Fe fyddai'r ardal hon yn ddiogel ym meddiant yr Almaenwyr am ddau fis ac o hyn ymlaen sefyllfa annatrys oedd hi ar y Somme.

16eg Gorffennaf: Fodd bynnag, ni allai Jack fod yn ymwybodol o hyn. Am 4.00 y bore fe wyddom fod dynion o'i fataliwn wedi cael eu hanfon i ymosod ar ddarn o dir oedd rhwng llinellau'r Prydeinwyr a rhai'r Almaenwyr. Wedi hyn fe'i galwyd yn 'Ale Gymreig' ('*Welsh Alley*'). Yn ymyl fe wnaeth bataliynau Gloster a Munster yr un peth. Roedd bataliwn Jack yn wynebu gwrthwynebiad ffyrnig ond fe lwyddodd i gipio'r ardal a chloddio lloches cyn nos. Lladdwyd o leiaf 12 o ddynion ac anafwyd tua 50 yn yr ymosodiad hwn.

17eg & 18fed Gorffennaf: Nawr roedd y fataliwn wedi ei chaethiwo yn y ffos a chawsant eu sielio yn drwm iawn. Lladdwyd 21 o ddynion ac anafwyd 52. Yn arwyddocaol, mae hanes y gatrawd yn cofnodi fod 18 o ddynion ar goll.

Felly, beth ddigwyddodd i Jack?

TRAFODWCH

- Darllenwch dudalennau 16 ac 17 eto a'r tudalennau sy'n dilyn.
- Pe bai Jack yn fyw heddiw, pa gwestiynau fyddech chi eisiau eu gofyn iddo? Meddyliwch am gymaint ag sy'n bosibl.

GV R1

HE whom this scroll commemorates was numbered among those who, at the call of King and Country, left all that was dear to them, endured hardness, faced danger, and finally passed out of the sight of men by the path of duty and self-sacrifice, giving up their own lives that others might live in freedom. Let those who come after see to it that his name be not forgotten.

Pte. John Thomas
Welsh Regiment

Cerdyn coffa swyddogol Jack (llysenw John oedd Jack).

IN LOVING MEMORY

— OF —

Private JACK THOMAS

(2nd Welsh Regiment)

Beloved Son of Mr. and Mrs. Tom Thomas, "Vermelles," Edward Street, Glynneath.

who was killed in
Action in France,

—ON—

July 16, 1916

Aged 24 Years.

———

"Greater love hath no
man than this, that a
man lay down his life
for his friends."

—*John xv. 13.*

Uwch y ser eich Jonny—addfwyn
    I wyddfod Jehovah,
O gyrhaedd gerwin, blin, bla,
    I hoewfyd nefol wynfa.

Allan o'r byd yn hulliach—y brysiodd
    I breswyl amgenach,
Heb ball mewn gwynfyd bellach
    Wrth ei fodd bydd Jonny bach.

Er hyn chwi hoff rieni—na wylwch
    Cewch wel'd eich Jonny,
Uwch pob haint mewn braint a bri,
    Yn mhalas Duw yn moli."

Parch. T. C. Harries.

Os edrychwch ar ei gerdyn coffa '*In Loving Memory*', mae'n nodi fod Jack wedi ei ladd ar 14eg Gorffennaf. Ond mae'r Comisiwn Beddau Rhyfel Ymerodrol (*Commonwealth War Graves Commission*) yn nodi dyddiad ei farw fel 18fed Gorffennaf. Sut mae egluro hyn?

Galwyd enwau milwyr y fataliwn ar 14eg Gorffennaf, y tro olaf cyn iddyn nhw fynd 'dros y copa', felly mae'n debyg mai dyna'r dyddiad a roddwyd i deulu Jack. Hwnnw a gofnodwyd ar ei gerdyn coffa a luniwyd gan y capel lleol ym mhentref Jack yng Nglyn-nedd.

Fodd bynnag, gan na ddaeth neb o hyd i gorff Jack, mae'n debygol iawn ei fod wedi ei daro gan siel. Pan ddigwyddai hyn byddai cyrff dynion yn cael eu chwythu yn ddarnau mân ac felly ni ellid eu hadnabod. Pan edrychwn ar y dystiolaeth am yr hyn a ddigwyddodd rhwng 14eg a'r 18fed Gorffennaf, y peth tebycaf yw fod Jack wedi ei ladd yn y tanio pan oedd y fataliwn yn llochesu yn y ffosydd yn yr Ale Gymreig. Mae'n drist na allwn byth wybod yn iawn beth ddigwyddodd iddo, fel sy'n wir hefyd am lawr o filwyr eraill a gofnodwyd 'ar goll'.

Mae enwau'r milwyr hyn, fel un Jack Thomas, ar y gofeb anferth, Cofeb Thiepval ar y Somme, sy'n rhestru enwau bron 70,000 o filwyr na ddaeth neb o hyd i'w cyrff.

Yn olaf sylwch ar un peth arall ar gerdyn coffa Jack. Sylwch ar enw'r tŷ yn Edward Street lle roedd Jack yn byw. Allwch chi ddyfalu pam y cafodd y tŷ yr enw yna? Mae cliw i chi ar dudalen 17 ac mae'r ateb ar dudalen 77.

Cofeb Thiepval

75

Milwyr a laddwyd gan y gynnau mawr.

Gweithgaredd:

- Lluniwch ddelwedd er cof am naill ai Edward Clement neu Jack Thomas. Eglurwch beth ddigwyddodd iddo gan seilio eich eglurhad ar dystiolaeth wir. Defnyddiwch y cwestiynau hyn i'ch helpu:

Ble?   Pryd?   Sut?   Pam?

Pam y bu i'r Rhyfel Byd Cyntaf ysbrydoli llenorion a beirdd?

Y Prif Gwestiynau:

- Pam y cafwyd cymaint o lenyddiaeth a barddoniaeth goeth yn ystod ac ar ôl y Rhyfel Byd Cyntaf?

- Pwy sydd wedi ei gynhyrchu a pham?

- Sut y gellir defnyddio barddoniaeth a llenyddiaeth fel tystiolaeth er mwyn dod i wybod am y Rhyfel Byd Cyntaf?

Llenyddiaeth, Barddoniaeth a'r Rhyfel Byd Cyntaf

Bu'r rhyfel yn ysbrydoliaeth i lenorion a beirdd oherwydd iddo gyffroi teimladau dwys. Yn gysylltiedig â hyn, gyda llaw, rydyn ni'n meddwl fod Jack wedi gofyn i'w rieni enwi eu tŷ yn 'Vermelles' am mai dyna enw'r lle ble roedd ei gyfaill wedi ei gladdu. Mae'n ddigon posibl ei fod yn un o'r dynion sydd yn y llun ar dudalen 16. Tebyg mai dyna ffordd Jack o ddangos ei deimladau – ei fod eisiau cofio am ei gyfaill. Dangosodd eraill eu teimladau mewn ffyrdd gwahanol.

Rydyn ni eisoes wedi sôn am weithiau pobl fel Sassoon, Remarque, Richards, Griffith ac, wrth gwrs, Graves, sy'n dweud cymaint wrthym ni am y profiad o ymladd yn y rhyfel a'i effaith ar y dynion a'r merched oedd yn ei ganol. Rydyn ni'n hynod ffodus fod Sassoon, Richards a Graves naill ai yn agos neu yn Mametz a Bazentin Le Petit yng Ngorffennaf 1916. Pam y bu i'r rhyfel ysbrydoli cymaint o waith creadigol? Mae'n debyg mai'r rheswm pwysicaf yw fod y rhyfel wedi cyffroi cymaint o deimladau gwahanol a **grym** y teimladau wedi peri eu bod eisiau eu rhoi ar bapur.

- **G**wladgarwch ar ddechrau'r rhyfel
- **R**ealiti'r sefyllfa yn codi ofn a pheri dicter fel roedd pobl yn dod yn fwy ymwybodol o'r hyn oedd yn digwydd
- **Y**sgytwad, fel roedden nhw'n dod i sylweddoli cymaint o ladd a dinistr oedd wedi eu hachosi gan y rhyfel a hynny'n codi cwestiynau, megis – I beth?
- **M**yfyrdod dynion oedd yn gorfod treulio misoedd yn y ffosydd dan amgylchiadau ofnadwy.

Mae Robert Graves yn esiampl dda iawn. Fel sawl un arall, roedd yn frwd dros y rhyfel yn y dechrau ond daeth dadrith pan welodd erchyllterau Coed Mametz. Cafodd gweld cyrff ei gyfeillion, wedi eu rhwygo, effaith ddofn arno ac fe'i denwyd i ysgrifennu am ei brofiadau. Cafodd Graves ei glwyfo cymaint â chwech o weithiau, ac ar un achlysur, trwy gyd-ddigwyddiad hynod, roedd cyswllt uniongyrchol â Jack Thomas ac Edward Clement.

Ar y 19eg Gorffennaf, (y diwrnod ar ôl i Jack gael ei ladd) gorchmynnwyd i'r Ffiwsilwyr Brenhinol Cymreig ymosod ar y Coed Uchel. Roedden nhw wedi ymgynnull ym mynwent Bazentin (yn agos iawn at y llecyn ble cafodd Jack ei ladd). Pan oedden nhw'n barod i gychwyn ymosod, disgynnodd sieliau a chafodd Graves ei glwyfo â darn mawr o farmor ddaeth yn rhydd o un o'r cerrig beddau a'i drywanu a threiddio i'w gorff. Cafodd ei gludo i orsaf Heilly (ble y danfonwyd Edward wedi iddo gael ei glwyfo) ac yna fe'i hanfonwyd i ysbyty yn Llundain.

Roedd Graves eisoes yn enwog fel llenor a chafwyd adroddiad yn y wasg ei fod wedi marw. O'i wely yn yr ysbyty bu'n rhaid iddo anfon llythyr i'r papur newydd yn dweud ei fod yn fyw! Roedd ei ffrind, Siegfried Sassoon yn argyhoeddedig fod Graves wedi marw ac roedd yn rhyddhad iddo (ac yn destun sbort) pan glywodd yn wahanol.

Dioddefodd Graves, Sassoon a beirdd eraill yn gorfforol ac yn feddyliol. Cafodd Sassoon, yn enwedig, ei greithio'n enbyd, ond ag ystyried y profiadau a gafodd ef a miliynau o filwyr eraill ar y pryd, a yw'n syn ei fod yn meddwl ei fod yn gwallgofi?

Ysgrifennwyd barddoniaeth yn Saesneg ac yn y Gymraeg. Sylwch fel mae'r farddoniaeth yn newid o fod yn wlatgarol i fod yn sinigaidd fel roedd y rhyfel yn llusgo ymlaen.

TRAFODWCH A MYNEGI BARN

- Pam y bu i'r rhyfel sbarduno cymaint o feirdd i ysgrifennu cerddi?
- Pam roedd y beirdd hyn wedi mynd yn sinigaidd fel roedd blynyddoedd y rhyfel yn dirwyn ymlaen?

Barddoniaeth wlatgar

Cyn 1914, roedd y rhan fwyaf o ryfeloedd wedi eu hymladd ymhell o Brydain, mewn gwahanol rannau o'r Ymerodraeth. Roeddent wedi ysbrydoli beirdd i ysgrifennu'n lliwgar fel pe bai cyfaredd yn perthyn i ryfeloedd. Fel y rhan fwyaf o bobl, roedd y beirdd ar ddechrau'r Rhyfel Byd Cyntaf yn credu mai rhyfel byr fyddai hwn, tebyg i'r rhyfel yn Ne Affrica neu'r Aifft cyn hynny. Felly, ambell waith cyfeirir at y farddoniaeth a gafwyd yn ystod y cyfnod cynnar, rhwng 1914-15 (h.y. cyn trychineb y Somme) fel barddoniaeth wlatgar.

Mae'n sôn wrthym am y cyffro a deimlai dynion ifanc pan oedden nhw'n mynd i ryfel, yn chwilio am glod a bri ac yn credu ei fod yn anrhydedd cael ymladd dros eu gwlad. Cofir am Rupert Brooke (1887-1915) fel un o'r beirdd hyn oedd wedi ennyn gwladgarwch yn nyddiau cynnar y rhyfel. Pan gyhoeddwyd rhyfel yn Awst 1914, er enghraifft, ysgrifennodd:

> *Now, God be thanked Who has matched us with His hour,*
> *And caught our youth, and wakened us from sleeping,*
>
> Nawr diolch i Dduw a barodd ein bod yn fyw ar Ei awr Ef/
> A ddaliodd ein hieuenctid a'n deffro o'n cwsg,

Yn y dyfyniad a ganlyn o'i gerdd enwog *'The Soldier'* mae Brooke fel pe'n awgrymu mai ei ddyletswydd yw marw dros ei wlad:

> *If I should die, think only this of me:*
> *That there's some corner of a foreign field*
> *That is forever England.*
>
> Pe bawn i'n marw, cofiwch hyn yn unig/ Fod rhyw gornel mewn maes, dramor/ Yn rhan o Loegr, hyd fyth.

Ni chafodd Brooke y cyfle i farw'n arwr, bu farw ar long feddygol yn ymyl Gallipoli a'i waed wedi ei wenwyno.

Yn ei gerddi cynnar i'r rhyfel mae Hedd Wyn hefyd yn llawn delfrydiaeth,

> Eto mae galwad gwladgarwch i'r trinoedd
> Fel yn y dyddiau fu;
> Mae'n alwad yn enw Prydain a'i nerthoedd,
> Mae'n alwad yn enw Arglwydd y Lluoedd,
> O'i loyw uchelder fry.
> . . . .O Arglwydd, dod lwydd ar ein heiddo
> A chadw'n gwladgarwch yn fflam ddiwywo
> Hyd oni ddelom yn rhydd

'Gwladgarwch'

Yn ei gerdd 'Corn Gwlad, 1914', mae Albert Evans-Jones (Cynan) yn gwahodd dynion i ymuno â'r fyddin gan orfoleddu:

Chwifiwch, faneri, chwifiwch; a thithau O utgorn! cân,
Cân uwch pob berw, dros erw ar erw, i alw'r mawr a'r mân.

Yn ei bryddest 'Rhyfel' mae'n sôn am filwyr sy'n llawn delfrydau:

Dyn yn aberthu ei einioes dros gartref a gwlad a Duw,
Gwlad yn rhoi goreu ei chalon i gadw rhyddid yn fyw.

TRAFODWCH:

* Yn eich barn chi, pa effaith a gâi barddoniaeth wladgarol ar y milwyr?

Datgelu'r celwydd a barddoniaeth trueni

Fel roedd y rhyfel yn llusgo yn ei flaen a chynnydd brawychus yn y nifer oedd yn cael eu lladd a'u clwyfo, felly darfu brwdfrydedd y milwyr a'r beirdd. Yn lle gwladgarwch daeth pesimistiaeth fel y daeth y realaeth yn amlwg, yn enwedig, rhwng 1916-1918 (gallwch weld fod y Somme yn arwyddo trobwynt mewn sawl ystyr: gw. y bennod nesaf). Mae rhai awduron wedi cyfeirio at hyn fel proses o ddatgelu'r celwydd ('unveiling the lie').

Dywedodd Wilfred Owen, (1893-1918), 'fy nhestun yw rhyfel a thrueni rhyfel. Yn y trueni mae'r farddoniaeth' ('my subject is war and the pity of war. The poetry is in the pity'). Edrychwch ar y darn o'i gerdd 'Anthem for Doomed Youth'. Sylwch ar y gwahaniaeth rhwng hon a cherdd Brooke uchod:

What passing-bells for these who die as cattle?
– Only the monstrous anger of the guns.

Pa glychau gân eu cnul i'r rhain sy'n marw fel gwartheg?
– Dim ond dicter anferthol y gynnau.

Soniodd Owen lawer am erchylltra rhyfel yn ei gerdd enwog 'Dulce Et Decorum Est'. Yma, er enghraifft, mae'n disgrifio effeithiau'r nwy gwenwynig:

If in some smothering dreams you too could pace
Behind the wagon that we flung him in,
And watch the white eyes writhing in his face . . .
My friend, you would not tell with such high zest
To children ardent for some desperate glory,
The old Lie: Dulce et decorum est
Pro patria mori.

Pe baech chithau hefyd mewn rhyw freuddwyd fyglyd, yn gallu ymlwybro/ Y tu ôl i'r wagen y'i taflasom ynddi,/ A gwylio'r llygaid gwyn yn gwingo yn ei wyneb;/ Fy ffrind, ni fyddech yn adrodd, mor frwd,/ Wrth blant sy'n dyheu am glod rhyfygus, yr hen Gelwydd: Melys ac anrhydeddus yw marw dros eich gwlad.

Wedi llwyddo i oroesi drwy'r rhan fwyaf o flynyddoedd y rhyfel, fe laddwyd Owen ar y 4ydd o Dachwedd, 1918. Cafodd ei rieni wybod am ei farw, yn swyddogol, y diwrnod y daeth y rhyfel i ben, wythnos yn ddiweddarach!

Pan sylweddolodd Hedd Wyn fod ei ffrindiau'n marw yn y brwydro, ysgrifennodd yntau englynion hiraeth a galar:

Ei aberth nid â heibio, – ei wyneb
    Annwyl nid â'n ango',
Er i'r Almaen ystaenio
Ei dwrn dur yn ei waed o.

Yna yn ddiweddarach mae'n mynegi'r dadrith a'r siom a'r dicter:

Gwae fi fy myw mewn oes mor ddreng,
A Duw ar drai ar orwel pell;

'Rhyfel'

Bu Cynan yn llygad-dyst o'r brwydro. Roedd ei brofiadau yn rhai chwerw. Ynghanol y brwydro mae'n myfyrio ac yn hiraethu am ei gartref, yn ceisio dianc rhag yr erchyllterau:

Arglwydd, gad im bellach gysgu,
Trosi'r wyf ers oriau du:
Y mae f'enaid yn terfysgu
A ffrwydradau ar bob tu.

O! na ddeuai chwa i'm suo
O Garn Fadryn ddistaw, bell.
Fel na chlywn y gynnau'n rhuo
Ond gwrando am gân y dyddiau gwell.

'Hwiangerddi'

81

Daw'r dadrith wedyn yn ei hanes yntau:

> Heddiw 'rwy'n syfrdan ar fy nhraed:
> Mae tân y clefyd sy'n fy ngwaed
> Yn llosgi yn fy llygaid coch; . . .
>
> Wrth drosi ar fy ngwely 'n awr
> Beth waeth gen i am Brydain Fawr?
> Beth waeth gen i pwy gaiff Alsace,
> Neu pwy reola'r moroedd glas?

'Malaria'

Disgrifodd yr amodau byw dychrynllyd oedd y milwyr yn eu goddef yn y ffosydd. Doedd dim urddas ar ôl. Nid pobl ydyn nhw bellach hyd yn oed ond *'pethau'*:

> O Dduw! a raid im gofio sawr
> Y fan lle'r heidiai'r llygod mawr,
> A bysedd glas y *pethau mud*
> Ar glic eu gynnau bron i gyd?

'Mab y Bwthyn'

Effeithiodd yr hyn a welodd, yn enwedig y beddau, yn fawr arno:

> Aros! Mae bedd fan yma. Gwêl y groes
>   A luniodd dwylo carbwl â rhyw bren
> O hen focs bwli. Syll y sêr uwchben
> Ar gannoedd tebyg wedi'r tân a'r loes. . . .
> Claddwyd, efallai, yma gyda'r hwyr
>   Galon rhyw fam o Loeger. . . .

'Y Bedd Di Enw'

Barddoniaeth Eironig sy'n beirniadu

Yn wyneb yr holl erchyllterau dechreuodd y beirdd feirniadu eu harweinwyr. Un o'r rhai enwocaf o'r rhain oedd Siegfried Sassoon. Yn ei gerdd 'Suicide in the Trenches' mae'n defnyddio eironi i wawdio braw a phoen y rhyfel:

> I knew a simple soldier boy,
> Who grinned at life in empty joy,
> Slept soundly through the lonesome dark,
> And whistled early with the lark
>
> In winter trenches, cowed and glum.
> With crumps and lice and lack of rum,
> He put a bullet through his brain,
> No one spoke of him again.
>
> You smug-faced crowds with kindling eye,
> Who cheer when soldier lads march by,
> Sneak home and pray you'll never know,
> The hell where youth and laughter go.

Adwaenwn fachgen o filwr diniwed,/ Arferai wenu ar fywyd yn llawen ddi-hid/ A gysgai'n braf trwy'r tywyllwch unig,/ A chwibanu â'r ehedydd ar doriad dydd.

Yn ffosydd y gaeaf, yn ofnus, benisel/ Ynghanol ffrwydriadau a llau a'r blys ofer am rym /Saethodd fwled drwy ei ymennydd,/ Soniodd neb amdano wedyn.

Chi dyrfa gysetlyd a'ch llygaid hunanfodlon/ Sy'n curo dwylo pan ddaw'r milwyr ar eu taith,/ Ciliwch adref a gweddïwch na pherthyn i chi nabod/ Yr uffern lle mae'r ifanc a'u chwerthin yn mynd.

Roedd parch eithriadol gan Sassoon tuag at y milwyr roedd e'n ymladd gyda nhw ac ar waethaf y ffaith ei fod yn dioddef (yn gorfforol ac yn feddyliol) yn enbyd, fe ymladdodd yn ddewr yn eu mysg. Ond doedd ganddo fawr o feddwl o'r cadfridogion fel y gwelwn yn y gerdd 'The General':

Cadfridog yn cyfarch milwyr

> 'Good morning, good morning', the General said
> When we met him last week on our way to the line.
> Now the soldiers he smiled at are most of 'em dead,
> And we're cursing his staff for incompetent swine.
> 'He's a cheery old card', grunted Harry to Jack
> As they slogged up to Arras with rifle and pack.
>
> · · ·
>
> But he did for them both with his plan of attack.

83

Bore da, Bore da, meddai'r Cadfridog,/ Pan gwrddon yr wythnos ddiwetha ar ein ffordd i'r llinell/ Nawr, mae'r milwyr roedd yn gwenu arnyn nhw, y mwyafrif yn farw/ A ninnau'n rhegi ei staff, y moch di-glem.
Mae'n gymêr llawn hwyl, medddai Harri wrth Jac/ Wrth ddygnu arni tuag Arras gyda reiffl a phac/ Ond lladdodd y ddau gyda'i gynllun ymosod llac.

Roedd barddoniaeth Sassoon yn boblogaidd ymysg y milwyr. (Dywedai Graves iddo weld Sassoon yn darllen barddoniaeth i'w filwyr yn Mametz) ond roedd yr awdurdodau yn ei feirniadu am fod yn anwlatgarol.

TRAFODWCH:

* Beth, yn eich barn chi, yw ystyr y rhain: '(1) datgelu'r celwydd' (*unveiling the lie*)? (2) 'lladdodd y ddau gyda'i gynllun ymosod llac' (*'he did for them both with his plan of attack'*)?

Yn ei bryddest 'Mab y Bwthyn' mae Cynan yn disgrifio'i fywyd pan oedd dan hyfforddiant ac ar faes y frwydr. Mae eironi yma eto ac yntau hefyd yn feirniadol o'r swyddogion a'r cadfridogion:

Euthum i wersyll ger y dref
Lle codai gwŷr di Dduw eu llef,
Gwŷr a gyfarthai megis cŵn;
Yno trwy fryntni oer, a sŵn,
A darostyngiad o bob gradd,
Fe'm gwnaethant i yn beiriant lladd;
Ac yn fy llaw rhoddasant wn,
Ac ar fy nghefn rhwymasant bwn,
Ac anfonasant fi i'r gad
"I ymladd dros iawnderau 'ngwlad."

. . . .
Rhwng hanner nos ac un o'r gloch
Daeth un o wŷr yr hetiau coch
I'n hannerch ni gerllaw'r mieri
Lle y buasai ffosydd "Jerry".
Mawr oedd y cyffro, mawr y stŵr,
A mawr y parch a gaffai'r gŵr.
Efô oedd Llywydd y Frigâd,
A difa dynion oedd ei drâd.
Ond dwedai'r coch o gylch ei het
Na thriniai o mo'r *bayonet*.
'Roedd ei sbienddrych yn odidog,
Ond beth a wyddai ef am fidog?

Cerddi am Goed Mametz

Ysgrifennwyd cerddi am Frwydr Coed Mametz yn Saesneg ac yn y Gymraeg. Teitl y gerdd y dyfynnir ohoni yma yw 'Brwydr y Coed'. Cafodd ei chyhoeddi dan y ffugenw 'Un o'r Ffosydd'. Mae'n debyg mai gwaith bardd oedd wedi clywed ei ffrind, fu'n ymladd yn y frwydr, yn sôn am ei brofiad yw'r gerdd yma.

'Chwi fechgyn o Gymru,' medd swyddog y gadlu,
'Rhaid heddiw ymdrechu yn fwy nag erioed;
Aed pob un i weddi ar Dduw ei rieni:
Rhaid ymladd hyd farw – rhaid cymryd y coed'.

Ar hyn dyma'r bechgyn yn taro hen emyn,
A'r alaw Gymreigaidd mor bêr ag erioed,
A'r canu rhyfeddaf, ie'r canu dwyfolaf,
Oedd canu y bechgyn cyn cymryd y coed.

Ar ôl brwydro gwaedlyd ac ymladd dychrynllyd
Enillwyd y frwydr galetaf erioed:
Ond rhwygwyd ein rhengoedd, a llanwyd yn lluoedd
Y beddau dienw wrth odre y coed.

Mae'r penillion nesaf yn dod o'r gerdd 'Profiad y Milwr' gan Milwyn, a ysgrifennwyd yn nhafodiaith y Rhondda. Gwelsom fod y 13eg Fataliwn, Cyfeillion y Rhondda, yn brwydro ochr yn ochr â Chyfeillion Abertawe yn Mametz:

'O'n i a 'Dai' gita'r rhai cynta'
'Rows apad i alwad y wlad,
I wmladd tros ryddid Iwrop a'r byd,
Ac i smasho gormas a brad.
. . . .
E glwsoch i gyd am wrhydri
Y rijmant Gwmrag spo,
Pan 'nillson nhw frwytyr y Mamats-Wood,
A gyrru y *Germans* ar ffo.

"Cymry am byth! Cymry ffor efar!"
Weiddws y bois gita'i giddyl i gyd,
Ac atsan eu bloedd erbyn toriad gwawr
Gyrhaeddws glust y byd.

Ond weti'r frwytyr gwpla
Odd ein rijmant ni gannodd yn llai,
Ac ym mhlith y dewrion orwedda'n eu gwad
Y ditho i o hyd i 'Dai'.

Yn Amgueddfa Gororwyr De Cymru yn Aberhonddu fe ddaethom o hyd i gerdd arbennig gan Tom Parton. Roedd ef yn un o'r milwyr fu'n ymladd yn Mametz ac mae'n disgrifio ei brofiadau. Mae'r gerdd yn dweud llawer wrthym ni am agwedd y milwyr, am y frwydr ei hun a'r amodau oedd yn rhaid i'r milwyr eu goddef. Yn drist iawn, er bod ei gerdd wedi goroesi, cafodd Tom Parton ei ladd flwyddyn yn ddiweddarach yn Ffrainc.

Rydym wedi ei chynnwys yn llawn yma oherwydd ni chafodd ei chyhoeddi o'r blaen ac mae'n cynnig tystiolaeth unigryw am y frwydr trwy lygaid milwr cyffredin oedd yno ar y pryd.

You wonder why I'm going grey headed?
Grey headed at forty five,
Well marvel not at all Sir
It's a wonder that I am alive.

After all that happened that day friend,
Ah Sir! When I see it again
As I sometimes do in my dreams
It's enough to turn one's brains.

Nigh five thousand fine fellows in all Sir
Caught, like a Rat in a snare
Would you like to hear the story?
Alright – if you the time can spare.

We were only a simple Division
That answered the call from all Wales.
We are not thought a great deal of in England
Until over the water we sails.

We are always classed rough by the Gentry
Those men are that work down a mine.
The French once looked down upon us
But soon for our help they did pine.

Twas not long we stopped in the suburbs,
But to a camp we soon went
First for a course of Instruction,
Four solid hard days we there spent.

Very well I'll get on with my story.
It would be about the middle of June
When we left the North for the South Sir
Just to give old Fritzy a tune.

We came out of the trenches at daybreak
After six weary months in the line.
We had dribbled away one by one Sir
And were far from full strength at the time.

We were told we were going for a rest Sir
After spending the Winter in France
And it was a hard one I tell you
But we heard we had to Advance.

We marched from North to the South Sir
Not a mile did we ride on the way.
It took us quite six solid weeks
To help in the Big Push away.

Twas not long before we were in action.
The Welsh Division at last
Had a chance to show what they were made of
In one of the hardest of tasks.

We were over the top in a jiffy
And met them like all soldiers should
That's how Sir the Welsh Division
Started to take the Woods.

We fought night and day to the end, Sir
And we kept the Germans at bay.
Not a German was left within sight Sir,
Twas awful to stick in the Din.

It lasted forty eight hours.
"Not so long"? did I hear you say?
But Oh Sir, what we endured
In that most awful fray.

All we had was a biscuit to fight on
No water anywhere to be found.
My comrades were dropping like rabbits,
Twas dreadful to be gazing around.

They sent everything they had at us
But in spite our fellows kept on
Until we were only a handful
And most of our leaders had gone.

Our Boys they stuck it like Britons,
Through the terrible shrapnel, shot and shell,
Until we had gained what we wanted,
We fought all bravely and well.

But, at last! came welcome daybreak
A pitiful sight to see,
What was left of the Welsh Division
Not half that came over the sea.

We took it at a terrible cost Sir
The wonderful Woods of Mametz.
Every man that went down was a soldier sound
And deserve what a soldier gets.

And now a word for the survivors,
You would think we were entitled to rest?
But we all are still in the War Sir
Fighting that strange German fest.

In a well known place called Ypres
Again we are holding the line,
In one of the saddest places
Where ever the sun did shine.

So now I have finished my story.
Give credit and honour where due
To the 38th Division Welsh,
Once Colliers, now Soldiers true.

So if the War was finished tomorrow
And all back to England were sent
You would hear about the wonderful victory
Where the Welsh Division were sent.

gan Tom Parton (marw 1917)

Chi'n dyfalu pam rwy'n benwyn? Yn benwyn yn bedwar deg a phump.
Wel, wir Syr, does dim achos synnu, 'Mod i'n fyw sy'n wyrth i
ryfeddu.

'Rôl cyflafan y diwrnod, ffrind, A Syr! pan wela' i'r dydd ambell waith,
Mewn breuddwyd eto ar dro, Mae'n ddigon i'm gorffwyllo.

Bron bum mil o fechgyn glew, Syr, Fel llygod Ffrengig mewn trap.
Hoffech chi glywed y stori? Os oes hamddden gennych chi.

Dim ond Adran syml oedden ni, Atebodd yr alwad o Gymru, pob cwr,
A neb yn Lloegr fawr o feddwl ohonon, nes i ni hwylio 'dros y don'.

I'r crachach, dynion garw ydyn ni, Ni sy'n cloddio i lawr y pwll,
A'r Ffrancwyr yn eu tro'n ffroenuchel, Cyn gorfod crefu am ein help.

Sbel fach fer gawson ni yn y faestref, Ac yna i'r gwersyll â ni,
Cwrs yn gyntaf i'n hyfforddi, Pedwar diwrnod o galedi.

Iawn, ymlaen â'r stori, Canol Mehefin yw hi,
Gadael y Gogledd a theithio i'r De A Fritz yn aros i ni ei ddiddanu.

Dod allan o'r ffosydd ar doriad dydd. Chwe mis blin yn y ffrynt
Ninnau, Syr, yn diflannu un ar ôl un, A'n byddin nawr yn bur ddi-lun.

Daw'r neges y cawn orffwys, Syr, Wedi'r Gaeaf hir yn Ffrainc
A hwnnw'n aeaf blin a chaled, Ond yna rhaid symud 'mlaen i'r gad.

Gorymdeithio o'r Gogledd i'r de, Syr, Bob cam, bob milltir ar droed.
Chwe wythnos gyfan, chwe wythnos hir, Yn gwthio'r gelyn ac ennill tir.

Cyn hir rŷm yn ei chanol hi. O'r diwedd, a chyfle'r Adran Gymreig
I brofi y gall hi, yn gytûn, Wynebu'r dasg anoddaf un.

Dros y copa mewn amrantiad, A'u cwrdd fel y dylai'r dewr.
Dyna sut, Syr, y bu i'r Adran Gymreig Wynebu'r her o gipio'r goedwig.

Fe ymladdon ddydd a nos, i'r pen Syr, I gadw'r Almaenwyr draw
Doedd 'run Almaenwr, Syr, o fewn golwg A'r sŵn byddarol yn amlwg.

Dros bedwar deg ac wyth o oriau. Dim mor hir, fe'ch clywaf yn dweud?
Ond Syr, beth am y dioddef alaethus Yn y fath gyrch peryglus?

Dim ond bisgien cyn ymladd, Dim dafn o ddŵr ar gael,
Cymdeithion yn syrthio fel barcutiaid, Golygfa rhy erchyll i'n llygaid.

Ymladdodd y gelyn â'i holl adnoddau, Ond daliodd ein dynion eu tir
Doedd ond dyrnaid prin ar ôl, A'n harweinwyr bron i gyd yn absennol.

Y bechgyn ymladdai fel Prydeinwyr, herio shrapnel, bwledi a sieliau,
Nes i ni ennill yr hyn oedd yn nod, Ymladd yn ddewr, pob aelod.

Ond o'r diwedd, ar doriad gwawr, Golygfa druenus o'n blaen –
Yn weddill o'r Adran fawr ei bri, Lai na hanner y nifer a groesodd y lli.

Fe gipiwyd Coed Gwych Mametz, Syr, A'r gost yn llawer rhy ddrud
Pob un a syrthiodd yn filwr beiddgar Ac yn haeddu gwobr y gwlatgar.

Ac amdanom ni ddaeth oddi yno'n fyw, Gallech dybio'n haeddu hoe?
Ond Syr, rŷm oll yn dal i ryfela, Yn herio'r pla, yr Almaen a'i thraha.

Mewn lle enwog o'r enw Ypres Rŷm eto'n cynnal y ffrynt,
Y tristaf fan a adwaen Dan olau haul y nen.

Nawr dyna ddiwedd fy stori. Boed anrhydedd a chlod i'r haeddiannol –
Y glowyr, y milwyr hynny Yn 38ain Adran y Cymry.

Felly, pe dôi'r rhyfel i ben yfory A Lloegr yn croesawu'i gwŷr yn ôl,
Fe gaech hanes buddugoliaeth lwyr Yr Adran Gymreig, yr arwyr.

Gweithgaredd:

1. Beth yw'r dystiolaeth mae'r cerddi hyn yn ei chynnig am Frwydr Coed Mametz?
   Ystyriwch:
   - Agweddau
   - Y frwydr ei hunan
   - Tactegau

2. Ydych chi'n meddwl fod y dystiolaeth:
   - yn ddibynadwy?
   - yn ddefnyddiol?
   (Rhaid i chi ystyried y dystiolaeth sydd yn y penodau blaenorol wrth lunio'ch ateb.)

3. Ysgrifennwch eich cerdd chi eich hunan am Frwydr Coed Mametz.

Pam roedd y Rhyfel Byd Cyntaf yn arwyddocaol?

Y PRIF GWESTIYNAU:

- Pam y cafodd y Rhyfel Byd Cyntaf ei alw'n Rhyfel Mawr?
- Oedd y Rhyfel Byd Cyntaf yn rhyfel ofer / di-bwrpas?
- Pam mae'n bwysig cofio'r Rhyfel Byd Cyntaf?

Rhyfel Mawr?

Ar ôl pedair blynedd a hanner o aros yn yr unfan ac ymladd rhyfel athreuliol, daeth y rhyfel i ben ar yr 11eg Tachwedd, 1918, pan gytunodd yr Almaenwyr a'r Awstriaid-Hwngariaid i arwyddo cadoediad. Roedd yna nifer o resymau pam y bu iddynt gael eu trechu yn y diwedd, gan gynnwys y ffaith fod UDA wedi ymuno â'r rhyfel yn 1917 ar ochr Prydain a Ffrainc. Wedi hyn, roedd yn amlwg fod mwy o adnoddau gan y Cynghreiriaid, yn ddynion ac adnoddau diwydiannol. O dan yr amgylchiadau hyn, er y gallai'r rhyfel lusgo ymlaen am nifer o flynyddoedd, yn y pen draw yr enillydd fyddai'r sawl oedd ganddo'r adnoddau gorau a'r nifer mwyaf o ddynion.

Yn ystod y blynyddoedd ar ôl y rhyfel, dechreuwyd sôn am ryfel 1914-18 fel y Rhyfel Mawr. Pam roedd y bobl ar y pryd yn ei alw'n Rhyfel Byd Cyntaf, tybed? Roedden nhw'n credu y byddai hwn yn rhyfel fyddai'n rhoi terfyn ar ryfela am byth. Fydden nhw ddim wedi dychmygu y gallai'r byd fod yn rhyfela eto ymhen ugain mlynedd.

Ym mha ystyr y gellir galw'r Rhyfel Byd Cyntaf yn 'Rhyfel Mawr'? Fel y cewch weld, un o'r rhesymau pwysicaf dros gyfiawnhau hynny yw'r newidiadau – dros amser byr, dros amser beth yn hwy a thros amser hir – a achoswyd gan y rhyfel.

I ddechrau efallai yr hoffech feddwl am y gair diarbed.

- **D**igwyddiadau pellgyrhaeddol sy'n dal i effeithio arnom heddiw
- **I**asol o ddychrynllyd o safbwynt y lladd, y dinistr a'r clwyfo
- **A**rfau newydd
- **R**ecriwtio trwy ddefnyddio propaganda
- **B**ythgofiadwy
- **E**ffeithio ar y dyfodol mewn sawl ffordd
- **D**ylanwadu ar ddiwylliant a diwydiant / difodi miliynau / defnyddio dynion yn aberth i'r gynnau

Bu newidiadau cymdeithasol, gwleidyddol, economaidd, milwrol a chelfyddydol oherwydd y rhyfel.

Cymdeithasol: un o'r effeithiau mwyaf pwysig ac amlwg oedd effaith y nifer fawr o farwolaethau a'r nifer o glwyfedigion. Fel y gwelsom, fe amcangyfrifir fod 8 miliwn o bobl dros y byd wedi marw oherwydd y rhyfel. Yng Nghymru, cyfrifir fod 35,000 o bobl wedi eu lladd yn y rhyfel. Pan ystyriwn y clwyfedigion, mae'n debyg fod pob cartref yng Nghymru gyda naill ai berthynas neu ffrind agos wedi ei ladd neu ei glwyfo yn y rhyfel. Dyna'r hyn a olygwn pan fyddwn yn sôn mor ysgytwol fu effaith y rhyfel. Fel mae Wyn Griffith yn dweud:

> Roedd neges ar ei ffordd i ryw bentref tawel yng Nghymru, i dŷ fferm carreglwyd ar lethr uwchben Bae Ceredigion, neu i fwthyn glöwr yn un o gymoedd y De, gair yn cyhoeddi angau.

Roedd yna rai effeithiau cadarnhaol hefyd oherwydd y rhyfel:
- roedd pobl o wahanol gefndir cymdeithasol ac ethnig wedi byw ac ymladd gyda'i gilydd.
- roedd merched wedi dangos eu bod nhw'n gallu gwnued gwaith dynion lawn mor effeithiol ac yn fuan ar ôl y rhyfel fe gawsant hawl i bleidleisio am y tro cyntaf.

Milwyr o India ar eu ffordd i'r ffrynt.

Beicwyr ar groesffordd Fricourt-Mametz yn ardal y Somme, Gorffennaf 1916.

TRAFODWCH A MYNEGI BARN

- Edrychwch yn ofalus ar y llun o'r beicwyr.
- Edrychwch ar y dyn sy'n sefyll ar ei ben ei hun yn y canol. Ceisiwch ddyfalu beth sy'n mynd drwy ei feddwl wrth wylio'r olygfa yma.

Gwleidyddol: bu'n rhaid i'r Kaiser ymwrthod â'i orsedd a newidiodd Cytundeb Versailles ffiniau gwledydd Ewrop. Cafodd Ymerodraeth Awstria-Hwngari ei chwalu ac enillodd y cenhedloedd oedd yn perthyn iddi eu hannibyniaeth. Un amod yn y cytundeb oedd fod yn rhaid i'r Almaen dalu iawndal, symiau mawr o arian, i wledydd fel Ffrainc a Phrydain. Hefyd bu'n rhaid i'r Almaen roi Alsace a Lorraine yn ôl i Ffrainc. Rhyw 15 mlynedd wedi hyn, penderfynodd corporal oedd wedi ymladd yn ddewr dros yr Almaen yn y rhyfel y byddai'n dial am yr hyn oedd wedi digwydd yn Versailles. Ei enw oedd Adolf Hitler.

Pan ddechreuodd Hitler adeiladu byddin, llynges a llu awyr yn yr 1930au, ni wnaeth gweddill Ewrop ddim i'w wrthwynebu achos roedden nhw'n amharod i ymuno yn yr un math o ras arfau â'r un oedd wedi bodoli cyn 1914. Roedd y cof yn fyw am y Rhyfel Mawr a'r erchyllter ddaeth yn ei sgil. Yn y diwedd, fodd bynnag, roedd yn rhaid rhwystro Hitler a'r Natsïaid a dechreuodd yr Ail Ryfel Byd.

Miliwrol: Fe newidiodd y mathau newydd o arfau a gyflwynwyd yn ystod y Rhyfel Byd Cyntaf – yn enwedig gynnau peiriant, tanciau ac awyrennau – y dull o ryfela am byth. Pan ddechreuodd yr Ail Ryfel Byd roedd arweinwyr milwrol yn awyddus i osgoi'r strategaeth oedd wedi bod yn fethiant yn rhyfel 1914-18. Un dacteg roedd Hitler yn ei hoffi, er enghraifft, oedd brwydro cyflym y *Blitzkrieg* – gydag awyrennau a thanciau a byddin yn symud yn gyflym i'w cefnogi.

Economaidd: er bod Prydain ar ôl y rhyfel i fod, yng ngeiriau Lloyd George, yn 'wlad deilwng i arwyr fyw ynddi', nid felly y bu. Roedd llawer o gyn-filwyr yn ddi-waith ac yn waeth fyth cafwyd dirwasgiad economaidd yr 1930au a effeithiodd ar y byd i gyd.

Diwylliannol: fel y gwelsom, bu'r rhyfel yn ysbrydoliaeth i feirdd ac awduron. Cafwyd hefyd weithiau cerddorol a chelfyddyd oedd yn adlewyrchu erchylltra rhyfel modern.

Brwydr Neuve Chappelle 1915 gan Joseph Gray.

'Gassed'/ 'O dan y nwy' gan John Singer Sargent.

Ffordd Menin 1919 – Paul Nash.

'Over the Top' / 'Dros y Copa' 1917 ('Gwaed ar yr ôd') – John Nash.

TRAFODWCH A MYNEGI BARN

- Edrychwch yn ofalus ar y rhestr o effeithiau'r rhyfel. Pa un o'r rhain oedd y dylanwad mwyaf arwyddocaol?

Rhyfel Ofer/ Di-bwrpas?

Dadleuai rhai pobl ar y pryd a rhai haneswyr wedi hynny mai rhyfel di-bwrpas oedd hwn ac nad oedd yn werth yr aberth anferthol roedd pobl gyffredin wedi ei gwneud. Meddyliwch am rai o'r dadleuon hyn:

- Rheswm economaidd oedd un o'r rhesymau dros ymladd y rhyfel, er enghraifft, roedd Prydain eisiau amddiffyn ei Hymerodraeth a'r Almaen eisiau ei Hymerodraeth ei hunan.
- Y bobl a benderfynodd fynd i ryfel oedd yr *'élites'*– hynny yw, yn bennaf pobl y dosbarth uwch oedd mewn grym. Dechreuodd y rhyfel oherwydd bod y gwleidyddion hyn wedi methu sicrhau heddwch trwy'r cynllun cynghreirio cyn 1914. Yn lle hynny arweiniodd y rhain eu gwledydd i ras arfau oedd yn peri fod rhyfel bron yn anochel yn 1914.
- Yn hytrach na chwilio am ffyrdd i osgoi rhyfel, roedd y llywodraethau hyn yn annog pobl i gefnogi rhyfel trwy ddefnyddio propaganda.
- Roedd tactegau a strategaeth y cadfridogion mewn brwydrau fel un Coed Mametz yn gwbl aneffeithiol, gan beri fod miliynau wedi eu lladd neu eu clwyfo. Ni chafwyd digon o barch at y ddelfryd o arbed bywydau. Yn hytrach, cafodd dynion eu defnyddio yn aberth i'r magnelau.

Ar y llaw arall, mae dadleuon sy'n gwrthddweud y rhain:

- Ymladdwyd y rhyfel i amddiffyn democratiaeth yn Ewrop. Nid oedd yr Almaen o dan y Kaiser yn wlad ddemocrataidd ond yn unbennaeth filwrol. Hefyd, nid oedd hawliau gan y cenhedloedd llai oedd dan reolaeth yr Ymerodraeth Awstria-Hwngari. Pe bai'r Almaen ac Awstria-Hwngari wedi ennill y rhyfel byddai perygl mai felly y byddai Ewrop gyfan yn cael ei rheoli.

Kaiser yr Almaen.

96

- O gofio mor gymhleth oedd cyflwr Ewrop yn 1914, roedd posibilrwydd cryf y deuai rhyfel. Fe ddigwyddodd oherwydd y problemau oedd wedi eu creu yn y bedwaredd ganrif ar bymtheg, yn enwedig Ymerodraeth Awstria-Hwngari.
- Nid oedd yr *élites* wedi amgyffred y byddai rhyfel mor ddychrynllyd. Ac er mai nhw oedd yn gyfrifol am ledaenu propaganda, roedd pobl gyffredin wedi cofleidio'r gwladgarwch a'r 'dwymyn ryfel'.
- Oherwydd bod y ddwy ochr yn gyfartal o safbwynt adnoddau a niferoedd cyn 1917, doedd yna fawr o ddewis ond ymladd rhyfel athreuliol yn y ffosydd.

Mae'r awdur Neil DeMarco wedi cloriannu'r dadleuon o'r ddwy ochr yn dda:

'A fydddai Ewrop wedi bod yn well lle pe bai'r Almaen wedi ennill y rhyfel? Os mai'r ateb yw 'Na', yna efallai nad oedd y Rhyfel Mawr cynddrwg rhyfel wedi'r cwbl.
Gall hyn i gyd fod yn wir, ond dim ond rhan o'r stori yw a oedd y rhyfel yn un 'da' neu un 'drwg'. Fe hawliodd fywydau wyth miliwn o ddynion a chlwyfo a niweidio meddyliau llawer mwy'.

TRAFODWCH:

- A ellir cyfiawnhau defnyddio'r label 'ofer' wrth sôn am y Rhyfel Byd Cyntaf?

'Llewod ac asynnod yn eu harwain'?

Mae angen i ni ymchwilio mwy i dactegau ac arweinyddiaeth y Rhyfel Byd Cyntaf. Mae rhai yn credu bod y dynion cyffredin a ymladdodd ar y Somme, fel Edward Clement a Jack Thomas, yn llewod oedd yn cael eu harwain gan gadfridogion oedd yn debyg i asynnod. Pe bai'r cadfridogion wedi bod yn glyfrach ac yn fwy parod i ystyried fod angen diogelu bywydau'r dynion, yn ôl y ddadl, yna ni fyddai'r rhyfel wedi golygu'r fath ladd a difrodi di-bwrpas.

Nid yw'n syn mai un o'r cymeriadau a gafodd ei ddadansoddi a'i werthuso fwyaf yw'r Cadfridog Haig.

Y Cadfridog Haig.

Un o'r beirniaid mwyaf ffyrnig yw'r hanesydd John Laffin, sy'n ei farnu am fod:

- Yn rhy ystyfnig, fod ganddo ormod o hyder yn ei allu e'i hunan: golygai hyn nad oedd yn barod i ystyried syniadau newydd.
- Ei fod yn rhoi gormod o bwyslais ar ymosod, yn hytrach nag amddiffyn: roedd yn rhy uchelgeisiol pan feddyliai y gallai'r Prydeinwyr dorri drwy amddiffynfeydd yr Almaenwyr.
- Roedd yn gor-bwysleisio pwysigrwydd y bidog ac yn tanbrisio'r gynnau peiriant. Nid oedd gan y Prydeinwyr ddigon o ynnau peiriant o'u cymharu â'r Almaenwyr.
- Gorchymynnai i filwyr gerdded 'dros y copa' yn hytrach na symud mor gyflym ag oedd modd.

Fel ym mhennod 7, mae'n bosibl cynnig dehongliad arall wrth sôn am Haig a'r cadfridogion eraill:

- Dyn ei oes oedd Haig. Roedd yn hyderus am ei fod o gefndir atistocrataidd oedd wedi arfer â buddugoliaethau ymerodraethol. Ond roedd hefyd yn gwir gredu fod yr Almaen yn ddieflig ac yn dadlau fod 'rhyddid dynoliaeth' yn dibynnu ar ennill y rhyfel.
- Roedd y tactegau milwrol a ddefnyddid cyn y rhyfel wedi dibynnu'n helaeth ar ymosodiadau gwŷr meirch. Roedd Haig yn meddwl y gellid defnyddio'r tactegau hyn mewn lleoedd fel y Somme.
- Efallai y byddai'r bidog wedi bod yn fwy effeithiol pe bai'r gynnau mawr wedi dinistrio ffosydd y gelyn a'r gwifrau pigog. Fel y digwyddodd, mewn rhai rhannau ar y ffrynt gorllewinol roedd 1 o bob 3 o'r sieliau yn un glwc.
- Roedd Haig wedi bwriadu i'w ddynion gymryd meddiant o ffosydd y gelyn, felly roedd yn rhaid iddyn nhw gario nwyddau ac ati i gyflenwi'r stôr. Golygai hyn ei bod hi'n anodd iddyn nhw symud yn gyflym.

Wrth gwrs, mae'n hawdd beirniadu pobl fel Haig o safbwynt yr unfed ganrif ar hugain. Ar y pryd roedd Haig yn wynebu rhyfel gwahanol iawn i unrhyw un oedd wedi digwydd cyn hynny. Mewn sawl ffordd roedd y dechnoleg a'r wyddor a gynhyrchodd arfau dinistr – fel sieliau, gynnau peiriant a nwy gwenwynig – ymhell ar y blaen i dactegau milwrol oedd yn gweddu'n well i'r bedwaredd ganrif ar bymtheg. Hefyd, os ydyn ni'n gor-bwysleisio'r ffaith fod y Rhyfel Byd Cyntaf yn rhyfel ofer, beth mae hyn yn ei olygu wrth feddwl am goffadwriaeth miliynau o ddynion fel Edward Clement a Jack Thomas? Oedden nhw wedi marw'n ofer?

Ar y llaw arall, os edrychwn yn fanwl ar yr hyn a ddigwyddodd yng Nghoed Mametz, mae'n anodd peidio â bod yn feirniadol o'r arweinwyr milwrol yno. Rydym wedi darllen eisoes am yr oedi, yr ansicrwydd a'r camgymeriadau a achosodd lawer o farwolaethau diangen yn ôl pob tebyg.

Mae ymchwil yr hanesydd Colin Hughes wedi dangos mai prin iawn oedd profiad y cadfridogion oedd yng ngofal yr ymosodiad ar Goed Mametz ar y cychwyn. Roedd yr Uwchfrigadydd Philips wedi ymddeol a chael ei alw nôl. Nid oedd yr Is-Gyrnol David Davies yn gwybod fawr ddim am filwyr a brwydro! Yr hyn oedd yn gyffredin i'r ddau oedd eu bod wedi cefnogi Plaid Ryddfrydol Lloyd George cyn 1914.

Fel y gwelsom, ni chafwyd arweinyddiaeth fwy effeithiol yn Mametz nes i'r Cadfridog Watts gymryd yr awenau ar 9fed Gorffennaf.

Yn olaf dylem ystyried y ffaith (a gall hyn fod yn anodd ei gredu ond mae'n wir) mai enw un o'r swyddogion oedd yn gorchymyn y 38ain Adran oedd Major General C.G. Blackader.

TRAFODWCH:

- Beth yw'ch barn chi am y Cadfridog Haig? A yw e'n haeddu cael ei alw yn asyn?
- Pam?

Pam?

Mae angen i ni ystyried un peth arall. O gofio mor arswydus oedd y lladd a'r dinistr a achosai'r rhyfel, pam roedd y dynion wedi dal ati i ymladd? Pam na fuasen nhw wedi gwrthod ymladd? Mae'r ateb i'r cwestiynau hyn yn datgelu i ni beth sy'n cymell dynion dan bwysau; maen nhw hefyd yn dweud llawer am ddewrder dynion fel Edward Clement a Jack Thomas.

Wrth gwrs, fe drôdd rhai dynion eu cefnau yn wyneb perygl dychrynllyd – cawsom dystiolaeth o hyn yn hanes Mametz – ond ni bu fawr ddim enghreifftiau o wrthryfela yn ystod y pedair blynedd. Bu miwtini ymysg milwyr Ffrainc yn Verdun yn 1917 ond sicrhaodd sensoriaeth a phropaganda na chafodd fawr neb wybod am hyn.

Mewn llyfr ardderchog o'r enw *The Trenches*, mae Dale Banham a Chris Culpin wedi dadlau fod yna chwe rheswm am hyn:

Rheswm 1: 'Cosb':
Os byddai dynion yn gwrthod ymladd, gellid eu saethu fel gwrthgilwyr. Yn drist iawn, dyna a ddigwyddodd i lawer o filwyr oedd yn siel-syfrdan oherwydd effeithiau saethu sieliau a ffrwydro bomiau cyson.

Rheswm 2: 'Gwobr':
Câi'r dynion nifer o bethau i gadw'u hwyliau yn dda, yn amrywio o fedalau, digon o sigarennau ac alcohol a difyrrwch yn y llinell gefn. Roedd rhai dynion o gefndir tlawd yn cael fod y bwyd a gaent, hyd yn oed, yn well na'r hyn roedden nhw wedi arfer ei gael gartref.

Rheswm 3: Ufudd-dod:
Roedd y gymdeithas ym Mhrydain yn 1914 yn wahanol iawn i'r hyn yw heddiw. Disgwylid i ddynion 'ufuddhau i'w gwell' hynny yw, pobl oedd ar ris uwch na nhw yn gymdeithasol fel cyflogwyr, tirfeddianwyr ac arweinwyr eraill. Roedd dynion 1914 wedi arfer ufuddhau i orchmynion.

Rheswm 4: Gwladgarwch:

Roedd y math o wladgarwch a deimlai beirdd fel Rupert Brooke yn aml yn deillio o'r hyn roedden nhw wedi ei ddysgu yn yr ysgol. Caent eu hannog yn ifanc iawn i deimlo teyrngarwch at eu gwlad a meithrin awydd i amddiffyn eu teuluoedd.

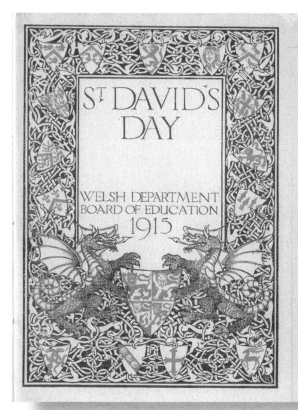

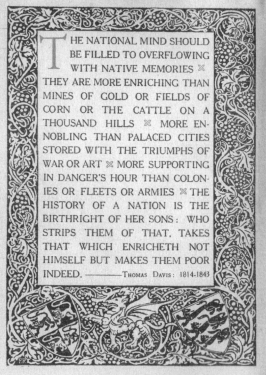

THE NATIONAL MIND SHOULD BE FILLED TO OVERFLOWING WITH NATIVE MEMORIES ⚅ THEY ARE MORE ENRICHING THAN MINES OF GOLD OR FIELDS OF CORN OR THE CATTLE ON A THOUSAND HILLS ⚅ MORE EN-NOBLING THAN PALACED CITIES STORED WITH THE TRIUMPHS OF WAR OR ART ⚅ MORE SUPPORTING IN DANGER'S HOUR THAN COLON-IES OR FLEETS OR ARMIES ⚅ THE HISTORY OF A NATION IS THE BIRTHRIGHT OF HER SONS : WHO STRIPS THEM OF THAT, TAKES THAT WHICH ENRICHETH NOT HIMSELF BUT MAKES THEM POOR INDEED. ———THOMAS DAVIS : 1814-1843

Taflen Gŵyl Ddewi 1915 yn llawn gwladgarwch.

Rheswm 5: Mwynhad:

Er bod hyn yn ymddangos yn anhygoel, roedd rhai dynion yn mwynhau'r antur a'r her roedd rhyfel yn eu cynnig.

Rheswm 6: Cyfeillgarwch / Brawdoliaeth:

Teimlai dynion nad oedden nhw eisiau siomi eu cyfeillion. Disgrifiodd Siegfried Sassoon y cyfeillgarwch agos roedd perygl cyson a byw yn y ffosydd yn ei greu. Roedd cydymffurfio, bod yn un o'r grŵp hefyd yn bwysig – ofni cael ei gyfrif yn llwfr. Roedd synnwyr digrifwch hefyd yn rhinwedd.

TRAFODWCH:

* Edrychwch ar y rhestr (1-6) uchod. Pa eglurhad sydd:
  (1) leiaf tebyg
  (2) fwyaf tebyg o'n helpu i ddeall pam roedd dynion wedi dal ati
      i ymladd?
  Rhowch resymau dros eich dewis.

Y Gorffennol – Nawr! Y Rhyfel Mawr Heddiw

Edrychwch yn ofalus ar y llun hwn o filwyr. Ydych chi'n sylwi ar rywbeth diddorol?

Milwyr wedi eu clwyfo sydd yma – Prydeinwyr AC Almaenwyr yn dod yn ôl o'r ffrynt yng Ngorffennaf 1916. Mae'n dangos fod rhyfel yn achosi yr un faint o ddioddef i'r ddwy ochr.

Ar ôl y rhyfel, wedi iddyn nhw ddod adref, roedd Graves ac eraill yn honni na bu bywyd yr un fath byth wedyn. Roedden nhw hefyd yn honni na ddeallai pobl beth oedden nhw wedi ei ddioddef yn ystod 'blynyddoedd braw' 1914-1918. Dadleuai Remarque, o safbwynt yr Almaen, fod cenhedlaeth gyfan o ddynion, er eu bod wedi goroesi, wedi eu dinistrio hefyd oherwydd yr atgofion ofnadwy roedd yn rhaid iddynt fyw gyda nhw am weddill eu bywydau.

Dyna pam mae'n bwysig dros ben i ni barchu coffadwriaeth y dynion a'r merched y bu iddynt aberthu cymaint er mwyn y cenedlaethau oedd i ddod ar eu hôl. Gobeithio, trwy ganolbwyntio ar 'storïau bach' unigolion oedd yn y Rhyfel Byd Cyntaf, y byddwch chi'n deall mor bwysig yw cofio, yr egwyddor na wnawn ni 'byth anghofio'. Felly, bob blwyddyn ar yr unfed diwrnod ar ddeg, ar yr unfed awr ar ddeg o'r unfed mis ar ddeg, rydym yn parchu'r cof am y rhai fu farw yn ystod y ddau ryfel – y Rhyfel Byd Cyntaf a'r Ail Ryfel Byd – ar Ddydd y Cofio.

Mae hyn yn dangos ein bod yn dal i gofio'r Rhyfel Mawr. Yng Nghoed Mametz heddiw, mae dieithrwch tawel, iasol. Mae rhai wedi sylwi na ellir clywed adar yn canu yn y coed, sydd erbyn hyn mor drwchus ag yr oedden nhw pan ymosodai'r 38ain Adran Gymreig ar y 7fed Gorffennaf 1916. Gallwch weld yno dyllau'r sieliau a ffosydd 1916. Mae ffermwyr yn dal i godi sieliau clwc wrth aredig a nifer o bethau eraill hefyd, ac ambell gorff dynol. O gofio beth a ddigwyddodd i Jack Thomas, a milwyr eraill 'dienw' na chawsant fedd sydd wedi eu coffáu ar Gofeb Thiepval, mae hyn yn hynod drist.

 Mynwent Brydeinig, Fricourt, Ffrainc.

⊃

Mynwent Filwrol Carnoy, Ffrainc.

103

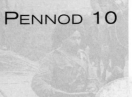

Gobeithiwn y cewch chi'r cyfle i ymweld â Choed Mametz, Thiepval a mynwentydd eraill a gweld ardal y Somme drosoch eich hunain. Oherwydd wedi darllen hanes anhygoel Coed Mametz a'r Somme a'r Rhyfel Byd Cyntaf daw dau beth yn amlwg – dylem barchu'r cof am y dynion a'r merched a roddodd eu bywydau drosom a dylai gwleidyddion gofio erchylltra rhyfel ac ymdrechu'n galed i'w osgoi.

Mynwent 'Flat Iron Copse' heddiw, lle mae llawer o'r milwyr a laddwyd yn Mametz wedi eu claddu. Yn eironig, dyma'r llecyn lle roedd llawer o ynnau peiriant yr Almaenwyr wedi eu cuddio ar ddiwrnod cyntaf y frwydr waedlyd.

Gweithgaredd

- Defnyddiwch y gair 'DIARBED' i egluro pam roedd y Rhyfel Byd Cyntaf yn ddigwyddiad mor arwyddocaol yn yr ugeinfed ganrif.
- Cofiwch roi nifer o resymau (cymdeithasol, gwleidyddol, milwrol, economaidd a diwylliannol yn ogystal â sôn am ei effeithiau dros dymor byr a thros dymor hir.
- Eglurwch hefyd pam y mae'n bwysig cofio am y rhyfel.

Llinell Amser – y prif ddigwyddiadau yn y llyfr hwn

1914	(Awst):	Cyhoeddi'r Rhyfel Mawr
1915	(Medi):	Brwydr Loos
1916:		

	1 Gorffennaf:	Dechrau Brwydr y Somme
	7 Gorffennaf:	Y 38ain Adran yn mynd 'dros y copa' yn Mametz
	10 Gorffennaf:	Mwy o ymosodiadau
	11 Gorffennaf:	Ymosodiadau ar gyrion gogleddol a gorllewinol y coed
	12 Gorffennaf:	Cipio Coed Mametz. Marw Edward Clement? Jack Thomas yn y mynd i mewn i'r coed.
	14 Gorffennaf:	2il Fataliwn y Gatrawd Gymreig yn mynd 'dros y copa'
	15 Gorffennaf:	Yr Almaenwyr yn gwrth-ymosod
	16 Gorffennaf:	Yr 2il Fataliwn yn ymosod o gwmpas yr Ale Gymreig
	17 Gorffennaf:	Wedi eu caethiwo yn y ffosydd
	18 Gorffennaf:	Wedi eu caethiwo yn y ffosydd a'r gelyn yn eu sielio. Jack Thomas yn marw?
	O ddiwedd Gorffennaf ymlaen:	sefyllfa annatrys, ddi-symud
	Tachwedd:	diwedd Brwydr y Somme

1917:	Rwsia'n cefnu ar y rhyfel oherwydd y Chwyldro. UDA yn ymuno â'r Cynghreiriaid.
1918:	(11 Tachwedd): Diwedd y Rhyfel.

GWEITHGAREDDAU ERAILL

Trafodwch gyda'ch athro / athrawes Hanes a allech wneud rhai o'r gweithgareddau hyn: .

- Gwneud map mwy o Goed Mametz a'r ardal o'u cwmpas. Defnyddio saethau i ddangos ble roedd y 38ain Adran wedi ymosod. Ei arddangos ar wal y dosbarth.
- Chwilio am atlas a mapiau: dilyn llwybr Jack 'o Lyn-nedd i Mametz' gan ddangos i ble roedd wedi mynd a beth oedd wedi ei wneud rhwng Awst 1914 a'r 17eg / 18fed Gorffennaf 1916. Ei arddangos ar wal y dosbarth.
- Defnyddio eich gwybodaeth am ryfel y ffosydd i wneud model o'r rhwydwaith ffosydd i ddangos sut roedden nhw'n gweithio. Ei arddangos yn eich dosbarth.
- Edrych ar y lluniau sydd yn y llyfr hwn a darluniau eraill sy'n perthyn i gyfnod y Rhyfel Byd Cyntaf. Gan ddefnyddio'r rhain a'ch gwybodaeth am frwydr Mametz tynnu llun o'r Coed ar ddiwedd y frwydr. Chi biau dewis eich cyfrwng – pensil neu baent – a chi biau dehongli'r olygfa. Ei arddangos.
- Ysgrifennwch eich cerdd eich hun am Mametz neu am fywyd Jack. Recordiwch hi a'i chwarae fel y gall gweddill y dosbarth ei chlywed.
- Roedd gan y milwyr nifer o ganeuon roedden nhw wedi eu llunio am fywyd yn y ffosydd e.e.'We're here because we're here' a 'It's a long way to Tipperary'. Gwrandewch ar y rhain. Cyfansoddwch eich cân chi am y Rhyfel Byd Cyntaf neu am Mametz a'i pherfformio.
- Ceisiwch uniaethu â'r milwyr oedd yn Mametz neu â Jack trwy chwarae rôl. Perfformiwch o flaen gweddill y dosbarth.
- Trafodwch eich gwaith gyda'ch athrawon iaith a drama. Gofynnwch a gewch chi sôn wrth eu dosbarthiadau am y farddoniaeth ac am stori Mametz. Efallai y gallech berswadio eich athro / athrawes drama i'ch helpu i lunio drama-chwarae-rôl lawn am Mametz.
- Gweithiwch yn barau. Dylai Partner A ysgrifennu llythyr at deulu 'cyfaill' sy wedi cael ei ladd yn y frwydr yn Mametz. Rhaid i chi seilio'ch llythyr ar y dystiolaeth hanesyddol. Dylai Partner B chwarae rôl swyddog sy'n gorfod sensro llythyr Partner A.
- Holwch eich rhieni i gael gwybod oes gennych chi ryw berthynas i'r teulu oedd wedi ymladd yn y Rhyfel Byd Cyntaf. Bydd angen i chi wneud ymchwil 'run fath ag rydyn ni wedi ei wneud yn hanes Jack. Oes rhywun o'r teulu yn fyw heddiw sy'n cofio stori'r milwr? Os felly gofynnwch a gewch chi roi ei atgofion ar dâp (hanes llafar). Ysgrifennwch y stori a'i harddangos ar wal y dosbarth.
- Gan ddefnyddio T. G. ymchwiliwch i weld faint o bobl a laddwyd yn ystod y rhyfel. Defnyddiwch siartiau bar i ddangos y niferoedd fu farw a / neu'r clwyfedigion o bob gwlad.

YMCHWIL

(1) Llyfrau Saesneg

Graves, R. (1960) *Goodbye to All That* , Penguin

Griffith, W. (1988) *Up to Mametz*, Gliddon Books

Hughes, C. (1982) *Mametz: Lloyd George's 'Welsh Army' at the Battle of the Somme*, Gliddon Books

McCarthy, C. (1995) *The Somme: A Day -by-Day Account*, Cassell

Renshaw, M. (1999) *Mametz Wood*, Pen and Sword Books

Richards, J (1990) *Wales on the Western Front*, University of Wales Press

Silkin, J. (1981) *The Penguin Book of First World War Poetry*, Penguin

Sredman, M. (1997) *Fricourt-Mamtetz: Somme*, Pen and Sword Books

Llyfrau Cymraeg

Cynan (Albert Evans-Jones) *Cerddi Cynan - Y Casgliad Cyflawn*, (Gwasg y Brython, Hugh Evans a'i Feibion, Cyf.),Argraffiad Cyntaf, Nadolig 1959

Llwyd, Alan ac Edwards, Elwyn (gol.) *Gwaedd y Bechgyn* (Cyhoeddiadau Barddas)

(2) Ar y We

htlp: //www.cwgc.org [Comisiwn Beddau Rhyfel Ymerodrol (*Commonwealth War Graves Commission*)]

http: //www. themumblesbook.com (mwy am fataliwn Abertawe)

http:www.1914-1918.net/home.htm (gwybodaeth gyffredinol ddefnyddiol am y Rhyfel Byd Cyntaf)

Geirfa

aberth: (eb) *sacrifice*

angenrheidiol: (a) *necessary*

amddiffyn: (b) *to defend*
    amddiffynwyr: (ell) *defenders*

amodau: (ell) *conditions*

anafu/ clwyfo: (b) *to wound*
    clwyfedigion:(ell) *the wounded*

annog: (b) *to encourage*

arbed: (b) *to spare*

artaith: (eg) *torture*

arwyddocâd: (eg) *significance*
    arwyddocaol: (a) *significant*

bidog: (eg) *bayonet;* math o ddagr ar flaen gwn

bom law: *hand-grenade*

bradwyr: (ell) *traitors*

breintiedig: (a) *privileged*

bri: (eg) *fame*

bydddino: (b) *to mobilise*

Cadfridog, -ion: *General, -s*

Cadlywydd, -ion: *Commander, -s*

Catrawd, Catrodau: (eb) *Regiment, -s*

cefnen: (eb) *ridge*

cêl-saethwyr: (ell) *snipers*

cilio: (b) *to retreat*

cofeb: (eb) *memorial*

coffáu: (b) *to remember;* cofio'r meirwon

colledion: (ell) *losses;* y milwyr oedd yn cael eu lladd

credoau: (ell) *beliefs*

cyfraniad, -au: (eg) *contribution, -s*
    cyfrannu: (b) *to contribute*

Cynghrair: (eg) *alliance;* nifer o wledydd yn cytuno i amddiffyn ei gilydd
    cynghreirio: (b) *to form an alliance*
    Cynghreiriaid: (ell) *Allies*

cynnydd: (eg) *progress*

cyrch: (eg) *mission*

cytundeb, -au: (eg) *agreement*

chwilfrydedd: (eg) *curiosity*

darbwyllo: (b) *to persuade. convince*

datgelu: (b) *to reveal*

dehongli: (b) *to interpret*
    dehongliadau: (ell) *interpretations*

delwedd: (eb) *image*

difrod: (eg) *damage, devastation*

dihangfa: (eb) *escape*

'dros y copa': *'over the top'*

dyfynnu: (b) *to quote*
    dyfyniad, -au: (eg) *quote, -s*

Entente : Cytundeb rhwng gwledydd i helpu ei gilydd

erchyll:(a) *horrible*
    erchylltra: (eg) *horror*

ffrwydriadau: (ell) *explosions*
    ffrwydrol: (a) *explosive*

gwareiddiad: (eg) *civilisation*

gwerthoedd: (ell) *values*

gwifrau cyfathrebu: (ell) *communication lines*

gwirfoddoli: (b) *to volunteer*
    gwirfoddolwyr: (ell) *volunteers*

gorfodaeth: (eb) *compulsion;* mynnu fod dynion yn ymuno â'r fyddin

gwaith neilltuedig: *reserved occupation*

gwladgarwch: (eg) *patriotism;* bod yn falch o'ch gwlad
    gwlatgar: (a) *patriotic*

gwreichionen: (eb) *spark*

gwrthgilwyr: (ell) *deserters*

gwrthwynebu / gwrthsefyll: (b) *to oppose*

gwrthwynebwyr cydwybodol: *conscientious objectors;* y rhai oedd yn gwrthod ymladd am fod hynny'n groes i'w daliadau

gwrth-ymosodiad: (eg) *counter-attack*

hunllef, -au: (eb) *nightmare, -s*

hyfforddi: (b) *to train*
    hyfforddiant: (eg) *training*

hylendid: (eg) *hygiene*

llysnafeddog: (a) *slimy*

magnelau: (ell) gynnau mawr yn saethu sieliau

moesol: (a) *ethical*

myfyrdod: (eg) *contemplation / meditation*

ofer: (a) *futile;* di-fudd, di-bwrpas

olrhain: (b) *to trace*

pelen glwc: *a dud shell;*

Propaganda –y dulliau oedd y llywodraeth yn eu defnyddio i berswadio

rheng, -oedd: (eb) *rank,-s*

rhyfel athreuliol: *war of attrition;*

rhyfel diarbed: yn effeithio ar bawb yn y gymdeithas, nid milwyr yn unig

sefyllfa annatrys: dim symud o'r ffosydd, dim un ochr yn gallu trechu'r llall

Sosialwyr: pobl oedd am weld gweithwyr yn cael gwell hawliau

taniad symudol: *creeping-barrage;* tanio sieliau o'r gynnau mawr i ddisgyn o flaen eu milwyr eu hunain

'tir neb': *'No Man's Land';* y tir rhwng llinellau'r ffosydd Prydeinig ac Almaenig

tra-arglwyddiaethu: (b) *to dominate*

trywanu: (b) *to pierce*

tystiolaeth: (eb) *evidence*

y dwymyn ryfel: *war-fever;* brwdfrydedd dros ryfela

ymdeithio: (b) *to march*

yr ymdrech ryfel: *the war effort;* y gwaith roedd pobl yn ei wneud er mwyn hybu achos y rhyfel

Ymerodraeth, -au: (eg) *Empire, -s*

ymgeledd: (eg) *care*

ymgynnull: (b) *to assemble*

ymgyrch: (eb) *campaign*

ymosod: (b) *to attack*
    ymosodiad: (eg) *attack*

ymrestru: (b) ymuno â'r fyddin

ysbrydoli: (b) *to inspire*
    ysbrydoliaeth: (eb) *inspiration*

ysgelerder:(eg) *villany/ atrocity;* gweithredoedd cas a chreulon

ystyried: (b) *to consider*
    ystyriaeth: (eb) *consideration*